ANTES FEITO DO QUE PERFEITO

Título original: *Antes feito do que perfeito*

Copyright © 2022 by Gabi Lopes

1ª edição: Agosto 2022

Direitos reservados desta edição: CDG Edições e Publicações

O conteúdo desta obra é de total responsabilidade do autor e não reflete necessariamente a opinião da editora.

Autor:
Gabi Lopes

Preparação de texto:
Tássia Carvalho

Revisão:
3GB Consulting

Projeto gráfico e diagramação:
Manu Dourado

Arte de capa:
Lana Ligabó

DADOS INTERNACIONAIS DE CATALOGAÇÃO NA PUBLICAÇÃO (CIP)

Lopes, Gabi
    Antes feito do que perfeito / Gabi Lopes. — Porto Alegre : Citadel, 2022.
    208 p.

ISBN 978-65-5047-169-9

1. Desenvolvimento pessoal 2. Autoajuda 3. Sucesso I. Título

22-4298   CDD 158.1

Angélica Ilacqua - Bibliotecária - CRB-8/7057

Produção editorial e distribuição:

contato@citadel.com.br
www.citadel.com.br

PERFIL

Gabi Lopes

ANTES FEITO DO QUE PERFEITO

Mas nunca mal feito

CITADEL
Grupo Editorial
2022

Gabi Lopes

ANTES
FELIZDO
QUEPERFEITO

Mas nunca mai feito

PREFÁCIO POR CAIO CARNEIRO

Há alguns anos eu recebi uma linda mensagem de uma leitora que tinha se identificado muito com meu livro. De cara percebi que não era uma leitora qualquer, era uma mulher cheia de sonhos, desejos, propósito e vontade de deixar sua marca no mundo.

Sua vontade de crescer e contribuir era tão genuína e verdadeira, que era possível perceber a nobreza de suas intenções em cada palavra que saía de sua boca que era escrita por suas mãos.

O universo às vezes nos presenteia com circunstâncias extremamente felizes. Anos depois daquela mensagem, após termos nos aproximado por conta de valores e propósito assemelhados, essa mesma leitora, de um lindo nome, Gabriela, me faz um incrível convite: deixar um recado em seu primeiro livro. Isso só reforça o quanto os livros podem mudar a nossa vida, sendo o ponto de partida de uma decisão, uma nova história, um recomeço ou até mesmo uma virada na vida.

Eu sabia que aquela leitora tinha algo diferente. Hoje isso se comprova: ela tirou o sonho do papel, fez acontecer e está deixando sua linda marca no mundo. Tenho certeza de que ela impactará você com suas belas e fortes palavras, regadas de energia e boas intenções.

Com carinho, Caio Carneiro

PREFÁCIO POR SÉRGIO GABRIEL

Escrever o prefácio do livro de um filho seu não é tarefa das mais simples, mas, por outro lado, é instigante e provocador demais, já que na realidade é como se você estivesse descrevendo a sua própria criação, mas isso exige crítica e isenção.

Talvez você esteja se perguntando por que eu fiz essa afirmação, mas a razão é bem simples, pois *Antes feito do que perfeito* não é simplesmente um livro, é uma narrativa de vida e de fatos que vão descrever um caminho sonhado e trilhado.

Vou te contar em breves palavras do que trata este livro. Um dia o Altíssimo me contemplou com a possibilidade de gerar filhos; foram dois, na verdade – dois talentos, duas personalidades. Uma delas é retratada nesta obra. As páginas que aqui se sucedem contam uma história de vida, não como uma autobiografia, mas como a narrativa da vida de um personagem que nasceu e conviveu com uma dualidade de duas fortes personalidades.

De um lado a pessoa – Gabriela Lopes Gabriel, personalidade forte, marcante e capaz de transformar uma vida, tanto é que transformou a sua vida em duas. De um lado a filha amorosa, a irmã parceira, a amiga de muitos, e de outro lado, a persona – Gabi Lopes, que ela mesma criou nos mínimos detalhes e com riqueza de criatividade.

A persona não é uma mera personagem como muitos imaginam, ela vive, ela é real, mas se separa da primeira para não misturar vida pessoal e profissional – se é que podemos compreender algo parecido, talvez só ela possa.

Desde muito pequena a persona se dispôs a ser alguém na vida e sabia muito bem aonde queria chegar – e chegou –, mas sei que não vai parar por aí, ela vai longe, e o infinito lhe aguarda.

Então se você está curioso(a) para saber até onde ela vai, certamente precisará ler este livro, a única forma de se compreender minimamente o futuro da persona.

Mas há uma segunda razão para você apreciar a gostosa e agradável leitura que as páginas a seguir lhe oferecerão: Gabi possui o dom de ir além dos limites e é capaz de levá-lo(a) junto.

As palavras que sucedem esse prefácio narram uma história de desafios, obstáculos, dificuldades, superação e autoconhecimento. Sendo assim, você poderá interpretá--las de duas formas: como a mera narrativa de vida (in) comum de alguém, ou como um guia de como você poderá transformar a sua vida.

O desafio está lançado. Bom mergulho e torne-se a chave para sua evolução.

Sérgio Gabriel

E não sou, aqui, Gabriel por acaso

SUMÁRIO

Introdução...19

1. A vida é movimento...23

2. Você é empreendedor da sua própria vida...28

3. Antes feito do que perfeito...34

4. Foque o processo e não o resultado...40

5. Para se tornar mais organizado, comece organizando seu dia...47

6. O banco da vida: gerencie o tempo a seu favor...54

7. Seja proativo: a importância de pensar positivo...61

8. Invista em você, afie o machado...68

9. Descubra e explore suas habilidades...74

10. Somos multipotencialistas...80

11. *Soft skills*...85

12. Faça o que ama e ganhe dinheiro com isso...91

13. Multiplicidade de carreira...97

14. Fé é para quem não perde o foco...103

15. Dinheiro é instrumento, organize suas finanças...108

16. Disciplina tem que virar rotina...114

17. Comece pelo mais difícil...120

18. Seja sempre grato...125

19. Seja autocrítico para evoluir...131

20. Não aceite críticas construtivas de quem nunca construiu nada...136

21. Planeje sua vida, estabeleça metas tangíveis...142

22. Você vai errar mais do que acertar, aprenda a transformar os erros em lições...147

23. Seja responsável pelo seu destino...152

24. Conviva com pessoas que te inspiram...159

25. Gere valor para as outras pessoas...165

26. Exercite o seu cérebro, leia para expandir a consciência...171

27. Fale menos e faça mais...177

28. Seja resiliente e persistente...182

29. Compreenda para ser compreendido...187

30. Maturidade: assumir erros, riscos e problemas...192

31. Entregue além do esperado e seja acima da média...200

Torne-se a chave para sua evolução.

Ao longo de tantos anos de muito trabalho e de um longo processo de amadurecimento, conheci muitas pessoas que me ajudaram a construir o meu caminho e chegar até aqui. Todas mereciam ser citadas nesta dedicatória, mas escolhi dedicar o meu primeiro livro a você, leitor. Se veio até ele e o comprou, significa que o livro é seu e foi feito exatamente para você mesmo. Acredite! :)

"NÃO SOMOS NÓS QUE ENCONTRAMOS OS LIVROS QUE QUEREMOS.

SÃO OS LIVROS QUE PRECISAMOS LER QUE NOS ENCONTRAM."

INTRODUÇÃO

Quando você pesquisa sobre algo novo, como um livro, um tema, um artigo, você nunca mais volta a ser a mesma pessoa, porque agora sabe algo diferente de antes. E essa teoria é comprovada cientificamente. É como se sua consciência literalmente se expandisse e não conseguisse voltar ao que era antes do novo movimento.

Mesmo passando por muitas experiências nessa vida, o aprendizado que mais se repete pra mim é que tudo que a gente vive na vida tem a capacidade de transformar a gente para sempre. Seja uma viagem, uma mudança, uma amizade, um erro, um relacionamento ou até mesmo a leitura de um livro. Quando a gente se joga verdadeiramente em algo, com a mente e o coração abertos, nos transformamos imediatamente, criando um divisor de águas em nossas histórias. E é isso que eu desejo pra você ao longo dessa leitura, que você possa ler essas 200 e poucas páginas e, depois de fechar o livro, se torne uma pessoa que sabe várias coisas novas.

Quando eu comecei a escrever este livro, me veio a dúvida de como fazer um livro tão incrível e ainda assim diferente de tantos outros que eu já li e que enriqueceram tanto a minha caminhada, mas que tivesse uma linguagem leve, divertida e prática. Se você comprou este livro só para ler histórias, você veio no lugar errado. *Antes feito do que perfeito* é um conceito de vida que vai te trazer mais ação e atitude imediatamente. Sem romantizar a produtividade, eu resolvi compartilhar com você, ao longo desses 30 capítulos, alguns hábitos, *insights* e maneiras de lidar com as mais diversas situações que podem aparecer na sua vida. O problema não é o problema em si, e sim a maneira como lidamos com ele. O real problema da nossa vida está em como lidamos com cada um desses obstáculos que aparecem em nossas vidas, que nos impedem de enxergar oportunidades, de alcançar nossos objetivos ou até de simplesmente nos sentirmos bem com nós mesmos.

O que sempre me chamou mais atenção é que durante o processo da leitura, enquanto vou lendo os livros sobre os temas que eu gosto, parece que alguns *insights* e novos lugares vão se acendendo na minha mente, e, quando eu aplico de verdade na minha vida, sempre funcionam – eu mesma comprovo através da minha realidade. Percebi o quanto uma leitura pode nos transformar para sempre, de verdade, sem clichês mesmo. Tenho certeza de que se você aplicar pelo menos 20% do que aprender neste livro terá novos resultados na sua vida. E provavelmente foi isso que você buscou quando encontrou este livro: ter resultados diferentes daqueles que você já tem e está acostumado a ter.

Não se deixe enganar pelas barreiras que não existem.

Quantas vezes você leu um livro e conseguiu aplicar algumas coisas que ele te apresentou? O meu intuito aqui é te mostrar quão benéficos e valiosos são os pequenos hábitos, quando a gente pratica todos os dias, com disciplina e de forma correta. Desde novinha eu sempre acreditei que estamos aqui na Terra para evoluir como indivíduos, e quanto mais eu cresço mais eu comprovo essa teoria. Essa é exatamente a missão deste livro: ser um guia para mostrar que você pode ser muito mais do que já é. E que não precisa de muito para chegar lá. Você só vai precisar fazer algumas coisas que esse livro vai te mostrar e muito provavelmente você já deve ter ouvido muito por aí, mas talvez nunca tenha colocado em prática e com consistência.

Então, meu desafio pra você é este: você pode ler este livro e tratá-lo como só mais um livro qualquer, ou aplicar tudo o que é proposto aqui e dar o primeiro passo para criar mais movimento para a sua vida. Se escolher a primeira opção, você irá conhecer um pouco mais da minha história e ler mais um livro. Já na segunda, você vai ter noção dos principais hábitos que fizeram a diferença para que várias pessoas como você construíssem lindos legados por aí e que provavelmente você admira. E você vai entender ao longo da leitura que também pode aplicar todos eles e construir o seu caminho de maneira mais consciente. Eu, Gabi, te desejo boa sorte e uma boa leitura :)

Nada acontece sozinho, você é quem faz acontecer.

1. A VIDA É MOVIMENTO

Então comecemos pelo começo. Antes de falar de você, vamos falar sobre esta experiência em que está inserido chamada Vida. Estamos todos aqui, diariamente, vivendo as nossas vontades, angústias, dores, experiências até quando Deus permitir. E nossa vida está sempre em movimento. Aos olhos Dele, estamos todos aqui embaixo seguindo a nossa rotina, realizando ou não o nosso propósito, vivendo as nossas paixões, perdendo-nos, encontrando-nos. Mas sempre em movimento. A Terra girando e a gente envelhecendo dia após dia...

Sabe o que acontece enquanto a vida passa? **A sua história vai sendo escrita.** Todos os momentos que você viveu, todas as pessoas que conheceu, todos os eventos que frequentou, todas as conversas que teve, todas as lembranças que criou compartilhadas com outras pessoas, tudo isso forma o seu legado. E esse legado se eterniza a partir do momento em que você nasce.

"Você um dia vai partir, mas a sua história e o seu legado ficarão para sempre vivos."

Poderiam ensinar isso pra gente na escola, né? Mas não ensinam. E desde que percebi que o meu legado, enquanto ser humano, se tornaria eterno, a minha vida ganhou mais movimento, ainda que controlado. Foi aí que percebi que eu, esta que escreve para você, não poderia assumir o controle do movimento, e sim o controle da direção. **Quando você não sabe para onde quer ir, acaba chegando a lugar nenhum.** Em outras palavras, interrompe o movimento básico próprio da vida de levá-lo para algum lugar.

O segredo está em basicamente sonhar. Mantenha os seus sonhos vivos, seus desejos em segredo e suas metas no papel. Você chegará lá com toda certeza, porque vai se levar até lá. Afinal, o movimento natural da vida é conduzi-lo aonde você deseja ir. **Mas nada acontece sem esforços, disciplina, e muuuito estudo.** Bastante do que você vai colher é fruto do que você plantar. Portanto, depende de você, exclusivamente de você mesmo, percorrer o caminho para alcançar o que deseja.

"Sem plantio, sem colheita."

AUTOR DESCONHECIDO

Estar vivo implica criar no dia a dia mais movimento para a vida. Implica levantar-se todos os dias e agradecer por estar vivo; pensar em coisas que o fazem mais feliz e ir em busca delas. Gastar menos tempo com distrações e aproveitá-lo melhor com coisas que o enriqueçam. **Você pode simplesmente existir e fazer as mesmas coisas todos os dias, ou pode estar vivo.** E isso significa mudança, transformação, evolução contínuas. Significa estar aberto para as mudanças, buscar a sua evolução diária e ver que no final, se é que tem final, você vai sempre estar diferente do você de dois anos atrás. Seja para melhor, seja para pior, mas com certeza diferente.

Os movimentos podem ser positivos e negativos, o que vai depender das escolhas. Mas com certeza, agora que você está **consciente desse processo** e sabe que, lá na frente, estará diferente de hoje, fará escolhas mais positivas. O importante é entender que, desde o dia em que nasceu, você está matriculado na escola de tempo integral chamada vida. E se a matrícula continua ativa, **você está em processo de aprendizagem**, algo que a sua alma vai levar para a próxima etapa. Os bens materiais vão ter que ficar por aqui mesmo. :)

"Você cria o movimento que quer viver."

2. VOCÊ É EMPREENDEDOR DA SUA PRÓPRIA VIDA

Quando você nasce, recebe um nome, um sobrenome, ou mais de um, herdado dos seus pais, e um número de registro nacional do seu país de origem. Mas se esquecem de nos contar que a gente também recebe um projeto: nós mesmos. Quando nasci, virei a Gabriela Lopes Gabriel neste mundo, mas a Gabi Lopes é o projeto em que trabalho diariamente. E é só minha **a responsabilidade de fazê-lo dar certo ou dar errado.**

Nós somos empreendedores do nosso projeto de vida. É por meio dele que aflorarão as nossas maiores conquistas, realizações, felicidades. O seu **projeto de vida** é o seu grande parceiro, do início ao fim. Enquanto você estiver vivo, ele sempre estará pronto para ser conquistado ou alterado. Mas nunca esqueça que tudo depende única e exclusivamente de você para acontecer. Existem muitas pessoas que não desenvolvem um projeto de vida próprio, simplesmente por nem se darem conta de que têm um. E não há nada de errado nisso.

E existem outras tantas pessoas que estão desenvolvendo lindos projetos de vida, sentindo-se realizadas diariamente e **enriquecendo por meio dos propósitos.** Qual dos dois tipos você é?

"Projeto de vida é o que acontece na vida desde o nascimento até a morte."

Ninguém melhor do que você mesmo para mergulhar aí dentro de si e identificar todos seus sonhos, organizá-los em metas e partir para a ação. Mesmo que tenha uma carreira que envolva ser agenciado, ainda assim é sua a responsabilidade de elaborar uma estratégia de vida própria. E, com certeza, com o tempo você acabará promovendo muitas modificações no seu planejamento. **Quanto mais conquistamos, mais queremos conquistar.** E essa vontade incansável de não parar nos mantém vivos durante o movimento natural da vida.

Sabe quando chega o final do ano e inúmeras pessoas fazem aquela lista de metas para o próximo? É dessa forma que vão amadurecendo um projeto de vida. No entanto, **você pode ser mais estratégico e ir além.** Não apenas em datas comemorativas, mas quando julgar necessário, sente-se com paciência e bastante tempo para analisar o seu projeto de vida e ver em que aspectos poderia aperfeiçoá-lo, o que poderia fazer de diferente e o que falta fazer para atingir metas e objetivos.

"Você nunca sabe que resultados virão da sua ação, mas, se não fizer nada, não existirão resultados."

MAHATMA GANDHI

O processo de empreender é bem complexo. Primeiro o empreendedor tem uma grande ideia, depois precisa convencer as pessoas sobre ela, ir atrás do que necessita para alcançar a realização, e aí começa a etapa mais difícil, mas não impossível: colocar o projeto em ação. **Todo empreendedor aprende muito ao longo de todo o processo.** Enfrenta muitas etapas, muitas mudanças, e o resultado gera sempre muita transformação.

Não vou dizer que será fácil, mas também não vou dizer que será a coisa mais difícil que você fará na vida. Até porque, se entrar nesse processo com leveza, você se divertirá ao se planejar e trabalhar, e, na hora da realização, vai comemorar cada segundo. E é assim que tem que ser: leve, gostoso e divertido. Afinal, você vai elaborar **um pouco do seu planejamento a cada dia**, e não dá para passar a vida inteira fazendo aquilo de que não gosta diariamente.

E aí, o seu planejamento de vida está em dia e no papel? Não fiquei escrevendo horas sobre o assunto para você simplesmente o achar legal. A ideia é que organize o seu e coloque-o em ação. Lembre-se, só você mesmo é responsável **pela elaboração e execução do seu projeto. :)**

"Se você pensa que pode, ou que não pode, de qualquer forma você está certo."

HENRY FORD

3. ANTES FEITO DO QUE PERFEITO

Estar vivo nesta experiência e conhecer a direção de para onde a vida vai levar você é o maior privilégio que pode se proporcionar. **Uma única escolha tem potencial de mudar toda a realidade à sua volta.** Entender que você é o dono da sua própria jornada significa se tornar mais consciente. Com certeza, até este momento da leitura, algumas chaves foram viradas dentro de você. E quando isso acontece, nós não conseguimos mais pensar do mesmo modo que antes. Esse movimento se chama "expansão da consciência", o que implica enxergar tudo de maneira diferente. E essa escolha você fez quando começou a ler este livro. :)

Daqui para a frente, vamos conhecer alguns hábitos que aprendi ao acompanhar gente de sucesso. Durante o processo de pesquisa, percebi que os pensamentos dessas pessoas começam a coincidir em certo ponto, e por isso se tornam clichês. Quanto mais indivíduos incorporam determinados hábitos à vida, mais eles comprovam que o sucesso é questão de escolha e trabalho. Nesse sentido, ao compartilharem sua jornada de sucesso, sempre compartilham conhecimentos parecidos. **Temos muito o que aprender com quem já venceu.**

"Antes feito do que perfeito, mas nunca mal feito."

Depois de muito estudo, resolvi colocar os hábitos em prática. E então deparei com a maior dúvida de todas: por onde começo? Em meio a tantas metas, objetivos, tarefas, acabei me perdendo. E mais, o nível exacerbado de exigência também me paralisou, e eu não sabia o que fazer. Quando eu li a frase "Antes feito do que perfeito", me questionei com infinitas possibilidades. Mas e se eu fizer de qualquer jeito? Mas e se eu fizer mal feito? Não é melhor estar perfeita para começar? **E percebi que meu mais significativo impeditivo de começar era eu mesma.**

Às vezes não falta nada pra gente começar, só uma ação mesmo, o primeiro passo, o pontapé inicial. A perfeição não existe, então é impossível atingi-la antes de iniciar qualquer tarefa, porque **o aperfeiçoamento costuma vir ao longo do processo.** Portanto, não se preocupe em ser perfeito; preocupe-se apenas em começar. Não se preocupe em não errar. **Quem nunca errou é porque nunca tentou algo novo.** Foque todas as suas energias em tirar as metas do papel e vivenciar a sua realidade repleta daquilo que você mais deseja. Antes feito do seu próprio jeito do que abandonado sem nem tentar. É exatamente isso que a frase quer dizer.

"Sonhar grande e sonhar pequeno dá o mesmo trabalho."

JORGE PAULO LEMANN

Lembro-me de uma época em que queria muito começar a gravar vídeos para o YouTube. Eu já fazia parte do elenco do "Nosso canal" e gravávamos uma vez por semana em uma produtora com os equipamentos e toda a estrutura, e apenas entrávamos com o talento. Apesar de muito divertido, chegou o momento em que eu queria gravar os meus próprios vídeos. Na hora de me planejar, pensei: "Não tenho câmera, não tenho patrocínio, não tenho estúdio, não tenho como gravar", o que quase **me impediu de começar.**

Com mais calma, fiz uma lista de amigos e parceiros que poderiam me emprestar o material e disponibilizar a estrutura, e também relacionei os vídeos que eu gostaria de gravar. **Antes feito do que perfeito é arriscar**, é começar mesmo sem estar pronto, é se aperfeiçoar ao longo do processo, mas nunca, em hipótese alguma, fazer mal feito ou de qualquer jeito. Aí está um mantra na minha vida quando preciso de um **impulso para tirar o planejamento do papel.** Se eu não tivesse começado com a câmera emprestada, nunca somaria hoje 7 milhões de visualizações únicas no meu canal. Entende por que é importante começar?

"Sem ações não há resultado."

ANDRÉ SÁ

Gere movimento na sua vida. Afinal, se não o fizer, ela vai continuar parada. Corra riscos, assuma os próprios erros, peça perdão, comemore as conquistas, aprenda com os deslizes, supere as adversidades, jogue-se de coração aberto, autocritique-se, cerque-se de pessoas inspiradoras, desenvolva habilidades, seja empático e agradeça sempre, nos momentos bons e nos ruins. E o mais importante, tudo no seu tempo. Organize sua mente e elabore o planejamento da pessoa que você busca ser ou dos grandes sonhos que deseja realizar. **Tenha calma para concretizá-los, mas tenha pressa para atingir as metas que o levarão até lá. :)**

4. FOQUE O PROCESSO E NÃO O RESULTADO

Você já pensou em aprender a falar outro idioma, mas acabou desanimado só pelo fato de levar uns três anos para se tornar fluente? E aquele plano de treino físico de três meses que foi abandonado na metade? Provavelmente você já passou por tais situações. O problema aqui está em **focar o resultado, e não o processo.** Sabia que muitas pessoas não conseguem cumprir tarefas porque estão tão focadas no resultado que se esquecem de dar a devida atenção ao processo por completo?

Ao focarmos o resultado, estamos nos afastando da meta, o que nos frustra ao longo do caminho, muitas vezes nos fazendo desistir. Porém, se focarmos o processo, poderemos atingir com mais rapidez o resultado final. O tamanho do processo vai depender do tamanho do objetivo, e consequentemente da quantidade de metas para realizá-lo.

"Você não conseguirá subir a escada se só olhar para o último degrau."

Quando você entende o que é preciso fazer para a realização do seu objetivo final, **basta traçar um planejamento estratégico**. Por exemplo, se quer cursar uma faculdade, precisará de dinheiro para pagar os estudos, e, claro, se inscrever no vestibular e ser aprovado. Esses são os primeiros passos para o seu **objetivo final**. Cabe a você realizar esse planejamento e cumprir cada passo para se aproximar cada vez mais da faculdade. Sempre se foque em resolver cada etapa do processo e naturalmente **amadurecer ao longo do caminho**. Se você se dedicar a cada etapa, empenhando-se ao máximo, alcançará um resultado muito mais positivo no final. Ou seja, o sucesso está diretamente relacionado ao esforço dedicado a cada fase.

A nossa parte só depende da gente, e a parte do outro só depende do outro. Se você não fizer a sua, não haverá nem chance de o outro fazer ou não a dele. Focar o processo significa dar a devida atenção a cumprir cada meta a que você se dispôs. Sabe aquele planejamento que elaborou para seu projeto de vida? Mantenha o foco e realize cada etapa no tempo certo. Durante esse processo, naturalmente concluirá cada uma delas muito melhor do que quando começou.

"As nossas ações estão sob nosso controle; os resultados, não."

Ao longo de todos esses anos, **desenvolvi milhares de projetos** em várias áreas – música, eventos, moda e entretenimento –, e aprendi muito com cada um deles. Porém, o mais notável foi a possibilidade de trabalhar em parceria com outros artistas e marcas para **produzir eventos em prol da arrecadação de alimentos** na Audio Club, uma das maiores casas de evento em São Paulo, para o selo **Corrida contra a fome**. Esse projeto, criado em 1996 nos Estados Unidos, atua no Brasil desde 2003, com representação em mais de 44 países, funcionando como parceiro da ONU no combate à fome e má nutrição. No line up do evento havia muitos artistas, além da Sandy, que recebeu uma homenagem linda do meu querido amigo Paulo Lima, presidente da Universal Music.

Lembro que no primeiro evento que realizamos as minhas **expectativas estavam muito altas**, eu me sentia bastante empolgada, animada e ao mesmo tempo nervosa, pois sabia a grandeza da responsabilidade de conseguir bater a meta de arrecadação de quinze toneladas. Comprei vários quilos para completar a contagem e desse modo ainda incentivar os convidados que fossem chegando e vendo as doações na entrada. Sei que no final arrecadamos **sete toneladas**. No primeiro instante me decepcionei por não ter batido a meta, mas depois percebi que, muito focada no número, me esqueci de vários contatos que poderiam ter feito doações e contribuído para alcançar a meta durante o processo. Esse episódio me ensinou, na prática, a importância de focar o processo, não no resultado. Parece que a gente fica **sem enxergar outras possibilidades** quando focamos o produto final.

"O sucesso dos resultados depende inteiramente do foco em cada etapa do processo."

Experimente substituir a meta de perder dois quilos por mês pela de atividades físicas diárias, depois se alimentar de uma forma mais saudável, dormir melhor, beber mais água, e tudo que for essencial para chegar ao resultado que você busca. Dessa forma substituirá a frustração de não ter perdido de fato dois quilos no primeiro mês pela satisfação de ter cumprido e concluído cada fase do processo, o que **o deixará motivará para enfrentar o próximo mês e atingir o resultado definido.**

Você não precisa ser super-herói nas fases iniciais; basta que entenda seu ritmo de estudo, de trabalho, ou identifique aquilo de que precisar para que o seu projeto de vida siga com saúde. **O importante é evoluir um pouquinho a cada dia.** Lembre-se do título deste capítulo sempre, o que lhe possibilitará **permanecer no presente, e não no futuro**, e dê mais atenção aos detalhes que o cercam.

5. PARA SE TORNAR MAIS ORGANIZADO, COMECE ORGANIZANDO SEU DIA

Tenho certeza de que você está cansado de acordar atrasado, perder seus horários, não cumprir praticamente nada do que precisava fazer e ter a sensação de que mais um dia foi em vão. Eu também me sinto assim de vez em quando, desmotivada a fazer as coisas de que preciso, a cumprir as minhas metas... Quando estou nessas fases mais pra baixo, é como se tentasse enxugar uma grande pedra de gelo todos os dias. Mas de vez em quando a gente precisa sair do eixo, para voltar ainda mais forte. **Se as coisas ao nosso redor não estão organizadas, nossa vida também não estará.**

Não tem como a gente começar o assunto "organização" sem antes falar dos princípios para um dia produtivo: organizar as tarefas com antecedência, acordar cedo para fazer o dia render e cumprir o planejado que você mesmo determinou para aquele dia, com direito à sensação de missão cumprida no final. Parece simples, mas na prática não é bem assim, certo?

Aprendi com o livro *O milagre da manhã*, de Hal Elrod, o valor de acordar cedo e **a importância de arrumar a cama todos os dias**. Você já parou para pensar nisso? Uma tarefa tão simples e rápida, mas que mesmo assim deixamos de executar. Quando você arruma sua cama, além de honrar o espaço onde descansou e recarregou as energias, **vence a primeira tarefa do dia**, o que o inspira e lhe traz confiança para executar a próxima, e depois a próxima e assim por diante. A vida é sistêmica, uma ação desencadeia todas as outras. Se você já começa bem o dia, aumenta as chances de ele terminar melhor ainda. E, se tudo der errado, pelo menos a sua cama estará arrumada para você descansar ou chorar em paz.

"Encare a organização como um investimento com retorno garantido a longo prazo."

Depois de mostrar ao mundo por que você veio, é hora de entender **aonde quer chegar**. Um dia completo tem 1.440 minutos para que os use como bem entender. Se você começá-lo sem a mínima noção do que surgirá pela frente, provavelmente, ao longo das horas, muitas adversidades irão acontecer e o dia terminará repleto de surpresas, e nem sempre boas. Seguindo assim, você acaba desperdiçando tempo diariamente e não vive o resultado que espera.

Use o tempo da melhor forma. Elabore um planejamento da semana, com as metas que precisa cumprir a cada dia, e no final do mês já perceberá a diferença. Quando coloquei isso em prática, os meus dias mudaram e passaram a render muito mais, o que me propiciou mais tempo livre para fazer as coisas de que gosto e aproveitar mais o convívio com a minha família e os meus amigos. Hoje, **o meu tempo é um aliado. Parei de correr atrás dele. Hoje, corremos juntos.**

"Transforme o tempo em seu grande aliado. Pare de correr atrás dele; corra junto com ele."

Todos enfrentamos problemas para nos organizar, muitas vezes vivendo a nossa rotina **no piloto automático,** empurrando tudo para a frente ou postergando as tarefas mais complexas. Aí vale o famoso (re)ditado: **"Não deixe pra agora o que você pode fazer depois".** Brincadeiras à parte, muitas pessoas costumam protelar as tarefas e não as concluem nunca. E no final, também não concluem os próprios objetivos. Não tem problema adiar alguma coisa para a próxima semana, para o próximo mês; **o problema é nunca fazer,** nunca começar.

Podemos classificar as nossas metas em três tipos:
- Tarefas que devem ser realizadas com mais rapidez, ou seja, **urgentes.**
- Tarefas que dependem apenas da própria pessoa, chamadas de tarefas **simples.**
- Tarefas que dependem de múltiplas ações ou de mais de uma pessoa, denominadas **complexas.**

Aproveite para elaborar a sua **lista de planejamento de organização da semana** dividindo as tarefas com base nesses três tipos. Costumo fazer a minha programação semanal aos domingos, e, se necessário, vou reformulando-a durante a semana. Desenvolva **o seu próprio método**; a ordem dos fatores não altera o resultado. E uma boa dica é verificar sua lista toda manhã e revisá-la antes de encerrar o dia, promovendo alterações, caso seja preciso. Entenda sempre a ordem de prioridade das tarefas e priorize as mais urgentes, antes que se tornem uma bola de neve.

Os benefícios da auto-organização são inúmeros, e não vou listar todos aqui, mas com certeza, depois de se organizar com frequência, você já vai perceber a diferença: terá mais tempo livre, deixará de perder prazos e compromissos, além de **evitar o estresse e a ansiedade causados pela desorganização.**

"Se você não sabe aonde quer chegar, não vai chegar a lugar nenhum."

PASTOR LUCAS KAMILO, ADAPTADO

6. O BANCO DA VIDA: GERENCIE O TEMPO A SEU FAVOR

Apesar de meus dias já estarem organizados, eu ainda não conseguia fazer as coisas a que havia me proposto, chegava atrasada às reuniões e parecia que nada acontecia como planejara. Isso já aconteceu com você?

Recentemente me peguei pensando na **função de um gerente**, uma figura tão importante quanto o dono da empresa. Por ele ser o responsável pelo funcionamento da engrenagem, em sua falta, as coisas acabam desandando e não acontecem como esperado. Mas será que o nosso tempo tem um gerente? Percebi que o meu não tinha, motivo pelo qual não me sobrava tanto tempo para colocar os meus planos em ação. E mais, minha rotina, além de nada estimulante, às vezes era muito cansativa. **Não me sobrava tempo, e também** não era produtivo.

"Será que o nosso tempo tem um gerente?"

Durante a semana nos organizamos para realizar diversas tarefas, mas, quando chegamos ao fim do dia, sentimos a frustração de não ter cumprido aquilo que determinamos, o que nos gera a sensação de que somos incapazes ou improdutivos. **Será que temos dificuldade em produzir aquilo que buscamos, ou será que nos falta saber gerir melhor o nosso tempo?**

Gestão de tempo implica organizar a rotina de maneira que caiba nela tudo que você precisa fazer no dia, coisas essenciais, e ainda as suas metas para cumprir os seus objetivos de vida. Embora complexo, nunca é impossível. Basta **planejar a semana da forma realista.** Você é o próprio gerente da sua empresa chamada projeto de vida, lembra? **Se não se organizar, ninguém o fará por você.** Para o seu destino se desenrolar, você precisa estar organizado e pronto para receber.

"Com organização e tempo, acha-se o segredo de fazer tudo e bem feito."

PITÁGORAS

O dia se divide em 24 horas; contando que devemos dormir de seis a oito horas por dia para um sono saudável e reparador, ainda **nos restam dezesseis horas produtivas**, que, se bem aproveitadas, podem render mais do que conseguimos imaginar. Você já ouviu falar da história do **banco da vida?**

*O banco da vida: Imagine se você tivesse recebido um depósito na sua conta bancária todos os dias, no valor de R$ 86.400, quantia que deveria gastar ao longo do dia porque, no final dele, a conta estaria zerada e no dia seguinte mais R$ 86.400 seriam depositados... **Todos nós somos clientes desse banco.** Deus nos dá 86 mil e quatrocentos segundos para serem vividos da melhor maneira possível, amando, sendo amigo, sendo irmão, sendo gentil, sendo anjo e sendo família, sendo generoso, fazendo amizades, apaixonando-se, aprendendo, ensinando, caindo, levantando, vivendo... **Quer saber o valor de um ano?** Pergunte a um garoto que perdeu um ano escolar. Para saber o valor de um mês, pergunte a uma mulher que teve um filho prematuro. Para saber o de uma semana, pergunte a um editor de jornal semanal. Quer saber o valor de um dia, pergunte a uma pessoa que executará tarefas árduas nesse dia. **Para saber o valor de uma hora, pergunte aos amantes que não veem a hora de se encontrar.** Para saber o valor de um minuto, pergunte a quem perdeu um voo de avião. Para saber o de um segundo, pergunte a quem conseguiu evitar um acidente de trânsito.*

Para saber o valor de um milésimo de segundo, pergunte a um atleta que ganhou medalhas de prata nas olimpíadas. **Por isso,** não desperdice o seu tempo; *ele é seu bem mais precioso... E é ele que você vai compartilhar com as pessoas que mais ama: seus pais, seus irmãos, seus avós, com seus amigos verdadeiros, seus amores... E **a gente só se dá conta quando perde.** "Ah, eu tinha tanto beijo pra dar, tanto abraço." A gente tem que viver o agora; não adianta a gente pensar que lá no futuro (lá no futuro, **e se não tiver futuro?**). Futuro é AGORA!!! O ontem é história; o amanhã, um mistério, e o hoje, uma dádiva. Por isso que se chama presente:* **"PRESENTE DE DEUS".** (Jhon Alex Modesto; adaptado)

Quando conheci esse texto, entendi a importância de viver no presente e valorizar cada um dos 86 mil e poucos segundos do meu dia. É aí que entra o **gerenciamento de tempo.** Comece a otimizar a sua rotina organizando melhor as tarefas, diminuindo o tempo para realizar cada uma ou realocando o tempo entre elas, de acordo com o fator **prioridade**. Faça isso de forma controlada para que possa acompanhar sua evolução e a **melhoria de produtividade** com o tempo.

Ao adotar o gerenciamento de tempo, você será capaz de **maximizar sua produtividade e perderá menos tempo com distrações** entre as atividades, assim reduzindo o estresse causado pelo acúmulo de prazos, o que impacta diretamente na qualidade de vida.

Aposto que você passa metade do dia olhando a tela do seu celular e nem percebe a enxurrada de informações que não lhe agregam valor algum. Já se sentiu mal ou inferiorizado sem saber o porquê? Já parou para pensar que uma simples foto pode impactar negativamente todo o seu dia? Isso acontece porque **não sabemos filtrar**. Se soubermos usar bem a **internet, ela pode se tornar uma fonte infinita de conhecimento**. Porém, se desperdiçarmos o nosso tempo apenas rolando o feed, perderemos o foco dos nossos objetivos. E se a gente aplicar a gestão de tempo nesse cenário também? Vamos chamar de **gestão de tempo digital**. Pensemos na importância de organizar e gerir melhor o tempo gasto na internet e nas redes sociais, para que esse tempo seja útil e **agregue algum valor a nossas vidas**.

"As distrações não agregam nada! Só nos distanciam do que, de fato, é importante."

7. SEJA PROATIVO: A IMPORTÂNCIA DE PENSAR POSITIVO

Ao longo da construção da minha carreira, fui muito mais rejeitada do que aceita, o que várias vezes me paralisou e me fez pensar se eu realmente tinha nascido para atuar, ou se estava investindo em uma área em que não teria futuro. Aos oito anos, entrei em uma agência, e durante todos esses anos passei por diversos testes e oportunidades. Houve uma época em que eu fazia cinco testes por semana, e às vezes não passava em nenhum. E aí pensava: "O que tem de errado comigo?". Por muito tempo me senti como coadjuvante da minha própria história; eu olhava o cenário, tinha as ideias, mas não agia com tanto empenho. Então percebi que, se eu quisesse alcançar os meus objetivos de verdade, precisaria me tornar **protagonista da minha própria vida**.

Percebi que, em vez de esperar as oportunidades aparecerem, e talvez não conseguir passar nos testes, eu poderia

criar as minhas oportunidades. E como? Estudei produção artística e executiva por alguns anos, conhecimentos que abriram a minha mente para **produzir vários projetos** autorais, como peças de teatro, filmes, conteúdos e web séries, os quais elevaram a minha carreira para outro nível e só dependiam do meu próprio trabalho.

As experiências de produção me ensinaram o valor de ser uma **pessoa proativa**, ou seja, esperar menos e agir mais. O proativo não espera ninguém pedir ou convidar; ele faz por si mesmo. Está sempre pronto para agir, e essa é a principal característica das **pessoas realizadoras.** A partir desse momento, deixei de esperar as oportunidades e passei a criá-las, o que foi imprescindível para o meu amadurecimento profissional durante cada processo.

"Se você não se sentir satisfeito com o que está recebendo, perceba o que está emitindo."

AUTOR DESCONHECIDO

As coisas envolvem muito mais como a gente as enxerga do que como elas realmente acontecem. Se você passa a vislumbrar as situações de uma **perspectiva mais positiva**, novas oportunidades aparecerão no seu caminho. Se começa a premeditar o que de ruim pode acontecer, já consegue se antecipar e se preparar, caso de fato aconteça. E mesmo olhando sob uma ótica positiva, não significa que não tenham ocorrido problemas e vários obstáculos no meu caminho, muito pelo contrário, muitas coisas deram errado. Mas, quando a gente encara um problema de forma positiva, **fica mais fácil encontrar uma solução e ressignificar os acontecimentos**. Quando pensamos positivo, tomamos atitudes que nos possibilitam alcançar o futuro que almejamos de uma maneira mais leve.

A pessoa negativa vai sempre encontrar problema em tudo; a pessoa positiva vai sempre encontrar solução para cada problema. Hoje, na hora de contratarem um novo funcionário, as áreas de recursos humanos se focam em encontrar pessoas que tenham *soft skills*, assunto que abordaremos melhor no Capítulo 11, mas que resumidamente envolvem essas habilidades especiais de que estamos falando, como positividade, proatividade, empreendedorismo, pessoas com capacidade de resolução de problemas... Tais atitudes talvez pareçam simples, mas faltam na maioria das pessoas e fazem muita diferença na profissão ou em uma tarefa pessoal.

"As coisas envolvem muito mais como a gente as enxerga do que como elas realmente acontecem."

O mundo onde vivemos é gigantesco, e em cada canto dele existem **pessoas reativas e proativas**. As reativas reagem depois de um acontecimento, enquanto as **proativas tomam atitudes antes que as coisas aconteçam**, com um controle muito maior da situação. A proatividade somada ao pensamento positivo são grandes aliados. Experimente durante dez dias seguidos ter pensamentos positivos, emitir palavras confiantes e agir de forma mais proativa. **:)**

Você costuma concluir uma tarefa antes do prazo para poder entregá-la com a melhor qualidade possível ou deixa para fazer na última hora, entregando-a de qualquer jeito? Quando fica sabendo de um aplicativo novo, você o baixa para conhecê-lo e chegar às suas próprias conclusões ou espera a opinião dos outros para decidir se vale a pena baixá-lo ou não? Conseguiu identificar-se com uma pessoa reativa ou proativa? Com isso em mente, use a sua tabela de organização de objetivos e tarefas **antecipando-se para se prevenir das dificuldades que possam acontecer**, foque na solução, e não no problema, planeje cada tarefa para realizá-la da melhor forma, evitando que várias se acumulem, e priorize o que realmente importa. Dessa forma, você já estará mais proativo.

"Seja sempre positivo, esperando o melhor e preparado para o pior."

PROVÉRBIO CHINÊS, ADAPTADO

8. INVISTA EM VOCÊ, AFIE O MACHADO

Você já ouviu falar na **metáfora do lenhador**? Eu não teria como desenvolver este capítulo sem antes mostrá-la:

"Um velho lenhador experiente foi desafiado por um forte jovem para uma disputa: Dividiram uma área igual para os dois e começaram a cortar as árvores. O jovem, com toda a energia e força, já havia derrubado muitas árvores sem parar. E ele se empolgava mais ao olhar que o velho se sentava para descansar. No final do dia, o rapaz, surpreso ao ver que o lenhador experiente o vencera com facilidade, perguntou: "Mas como o senhor fez para cortar mais árvores que eu, mesmo parando tantas vezes para descansar?". E o sábio respondeu: "Engano seu! Eu parava para afiar o meu machado, jovem". (Autor desconhecido)

No decorrer da minha carreira, aprendi que as pessoas não nascem prontas, muito pelo contrário, tornam-se talentosas e inteligentes **ao longo do caminho**. E como conseguem? Por meio de bastante estudo e dedicação. É muito importante **gastarmos energia aprimorando as nossas habilidades**. Para que isso ocorra de maneira natural e mais fácil de assimilar, busque evoluir um pouco a cada dia em algo que você deseja de forma mais específica, como praticar um esporte ou aderir a um novo hábito. Podemos observar esse **padrão de melhoria contínua** em atletas de **alto rendimento**, como Michael Jordan e Usain Bolt. Eles usam essa técnica de melhoria contínua no cotidiano – e há muitos anos –, razão pela qual alcançaram resultados tão extraordinários.

"Seja hoje melhor que ontem e amanhã melhor do que hoje."

ABÍLIO DINIZ, ADAPTADO

Alguém já lhe contou alguma coisa sobre a **metodologia Kaizen**? O termo de origem japonesa, surgido na década de 1950, é adotado por milhares de empresas que visam crescer gradualmente e de maneira uniforme. "A filosofia Kaizen sugere que a nossa maneira de viver, tanto no ambiente profissional quanto no pessoal, deve **estar focada em um esforço constante de melhoria**" (Masaaki Imai). Aprendi isso em um curso de produtividade e fiquei intrigada. Quando a mente se abre para uma nova ideia, ela nunca mais volta ao tamanho normal. Resolvi então começar a aplicar essa filosofia primeiro nos meus hobbies e em alguns esportes em que desejava me aprimorar. Sempre quis aprender a fazer muitas coisas, a lista era gigante, e **fui dando um passo de cada vez**. Quando percebi que funcionava muito bem, resolvi praticá-la no meu campo profissional.

Comecei a afiar o meu machado. Passei a adquirir novas habilidades necessárias e complementares à minha função. **Aprendi novos recursos** que faziam parte da minha área e evoluí ainda mais em minha carreira. Investi em vários cursos dentro e fora da minha profissão, os quais **ampliaram a minha visão** em vários setores. E fui vendo a diferença na minha entrega. Comecei a me preocupar muito mais com a experiência dos meus clientes em relação ao meu serviço. Percebi a importância de aceitar que quase ninguém nasce pronto, e que cada um tem melhores versões de si mesmo prontas para serem incorporadas, só dependendo da própria pessoa.

"As grandes mudanças na nossa vida acontecem sem alarde e são construídas por meio da melhoria contínua dia após dia."

OLINDA OLIVEIRA

Pegue a sua tabela de **organização financeira** e anote todo o valor investido no seu **desenvolvimento**, como cursos, material de trabalho, livros, palestras, entre outros. Agora verifique todo o valor gasto com coisas que você comprou e vai usar uma vez na vida, por exemplo, uma roupa que nunca usou. Se o investimento no seu desenvolvimento é maior do que o gasto com coisas que não vão agregar valor de fato a você, parabéns, está no **caminho certo**. Agora, se a conta não fecha, não tem problema, daqui pra frente você estará no **controle**. **Se deseja receber, é preciso investir** primeiro, não apenas dinheiro, mas também energia.

A melhor forma de se engajar nessa prática é de modo gradativo, e aos poucos irá priorizando o **investimento em você** e balanceando esse valor com aqueles outros gastos, como em lazer, elemento essencial, mas que deve ocorrer de maneira planejada. Antes de fazer esse investimento, procure priorizar aquele que vai impactar diretamente na sua vida e surtir efeitos mais rápidos, como um curso que pode resultar **em incremento na qualidade do seu trabalho** e do seu retorno. Muitas pessoas querem ganhar mais, ou maximizar o próprio valor, mas não investem na melhoria do seu produto ou serviço. **Para maximizar o seu valor, é preciso investir mais em você e na sua carreira.**

"Invista na pessoa mais especial da sua vida, você."

ZIG ZIGLAR

9. DESCUBRA E EXPLORE SUAS HABILIDADES

Comecei a atuar aos oito anos de idade. Extremamente imatura e sem noção alguma de como iria construir minha carreira, me atirei sem muita pretensão. No início, queria me divertir e ser reconhecida. Sempre fiz muitos testes, mas não passava em quase nenhum. Em média, participava de vinte deles por mês, e se passava em três era muito. Comecei a interpretar os resultados como um sinal de que eu precisava **explorar minhas habilidades**. Focada em estudo e evolução, perdi a conta de quantos cursos fiz. Até em xadrez me inscrevi, acredita? Lembro que, na época, li que era ótimo para **desenvolver a lógica**. E como atriz, eu tinha certeza de que essa habilidade seria complementar e ajudaria muito na minha profissão, que exige memorizar, estudar e assimilar muitos textos, além da capacidade de improvisar em cena.

Com certeza, existe alguma atividade em que você se destaca desde muito novo. Pergunte aos seus pais ou amigos de infância. Eles vão se lembrar de algumas habilidades que talvez você tenha deixado de lado, por simplesmente achar que não era capaz, por medo ou insegurança. **As oportunidades estão à nossa frente a todo momento, e as nossas habilidades determinarão se estamos prontos para agarrá-las ou não.** Por isso é tão importante desenvolvê-las.

"A habilidade de alcançar a vitória mudando e se adaptando de acordo com o inimigo é chamada de genialidade."

SUN TZU

Nesta linha de pensamento, identifique as suas principais habilidades e como desenvolvê-las da melhor forma. **Investir em você significa investir nas suas habilidades e no seu potencial.** As pessoas que nos inspiram quase sempre são extremamente habilidosas, porém, lembre-se de que elas não nasceram prontas; elas **se tornaram durante o processo.**

Acho que agora você entendeu do que eu estou falando, né? Descobrir os pontos fortes é o caminho para começar a trajetória de evolução. E **entender os pontos fracos** é tão importante quanto conhecer as habilidades e os potenciais. Exercitando-se naquilo em que você não tem muita prática, **naturalmente se torna melhor no que é pior.** Para desenvolver uma habilidade ou um hábito novo, é preciso dedicação, disciplina, foco e muito planejamento. **Habilidades são como poderes especiais.** Você já pensou em qual gostaria de ter? Oratória, escrita, persuasão, comunicação, criatividade, liderança e mais tantas outras. Existem infinitas habilidades que você pode aprimorar ou desenvolver. Sabendo disso, não poupe esforços para **evoluir cada vez mais** nas suas. :)

"Se as pessoas soubessem o quão duramente eu trabalhei para obter a minha habilidade, ela não pareceria tão maravilhosa depois de tudo."

MICHELANGELO

Liste as coisas de que você gosta, como praticar um esporte, fazer teatro ou reunir-se com os amigos para conversar. Em seguida, **liste as habilidades** que você mais usa durante essas atividades, como comunicação, liderança, organização, gestão, proatividade, e então separe as com que mais se identifica. Agora, procure funções ou projetos que necessitem dessas habilidades dentro da sua área, ou até em outras em que deseja futuramente atuar. Ao **trabalharmos com as habilidades** em que nos destacamos, conseguiremos gerar mais valor e **explorar o máximo de nossa capacidade em cada função que desempenharmos ou projeto que desenvolvermos.** A prática diária e o aperfeiçoamento constante das habilidades que você já tem vão resultar em um profissional único e de **alta performance e produtividade.**

Normalmente já estamos desenvolvendo as nossas habilidades ao longo da vida e nem nos damos conta. Enquanto trabalha, você já está aprimorando várias habilidades; enquanto se planeja e se organiza, também aprimora habilidades, e é assim na sua rotina e em praticamente tudo que você faz. Embora não exista segredo para se tornar uma pessoa habilidosa, se existisse uma receita, seria a **repetição com constância.** Quanto mais você repete a mesma coisa, mais você faz, mais você explora, mais você evolui naquela habilidade específica.

O que acha de fazer uma pausa na leitura para silenciar e pensar com calma nas suas habilidades? Elabore uma lista mental das habilidades que já desenvolveu e das que ainda quer aprimorar.

"Na vida pessoal as pessoas falarão sobre você; na vida profissional, falarão sobre suas habilidades."

10. SOMOS MULTIPOTENCIALISTAS

Desde que nascemos, orientam-nos a ter uma única profissão, e, assim, focamos todas as nossas forças em desenvolver esse único potencial. No entanto, na verdade somos plurais, dotados da capacidade de desenvolver várias habilidades, vários potenciais e trabalhar em várias carreiras ao mesmo tempo. **Nascemos múltiplos, e quanto mais nos abrimos para esse conceito, mais múltiplos nos tornamos.** E é essa nossa multiplicidade de combinações que nos faz únicos, diferentes uns dos outros.

Há anos o homem segue um mesmo script: nascer, crescer, formar-se em um curso superior, exercer uma única profissão, ter emprego, profissionalizar-se e **continuar na mesma profissão para sempre**. Porém, existe uma **ruptura de padrões** latente acontecendo na sociedade, por meio da qual estamos descobrindo **várias novas formas de viver**. Uma delas é a multipontecialidade, ou seja, em uma mesma pessoa coexistem inúmeros potenciais. E com vários potenciais e uma estratégia bem definida de carreira, uma mesma pessoa é capaz de desempenhar diversas atuações, termo conhecido como **multiplicidade de carreira**.

"Somos singulares por sermos plurais."

Uma das pessoas multipotencialistas mais conhecidas na história do mundo é **Leonardo da Vinci**. Na Renascença, o famoso pintor de Mona Lisa e de tantas outras fantásticas obras de arte também se envolvia em diversas atividades diferentes. Leonardo era famoso em seu tempo pelo vasto e diverso conhecimento e pela incrível capacidade de usar tudo de forma integrada. Além de pintor, ele também **inventou o helicóptero, o tanque de guerra, o escafandro, a bicicleta e ainda o paraquedas**. Tornou-se escultor, escritor, engenheiro civil, anatomista, químico e farmacêutico. Apesar de **tantos potenciais e carreiras**, quando vão citar o genial Leonardo da Vinci, sempre se referem a ele como o famoso pintor. Mas você já viu que é muito mais que isso. :)

Talvez você não conseguisse se reconhecer como **multipotencialista**, entretanto, caso o seja, saiba que segue o estilo de vida **de da Vinci**. E se ainda não se reconhece dessa maneira, não se preocupe. Leva um tempo até a gente ir se conhecendo ao longo da vida e descobrindo todas as nossas características. **Ainda tem muito para você descobrir sobre si mesmo**.

"Os multipotencialistas são os novos renascentistas."

MARGARETH LOBENSTINE, ADAPTADO

Não só na nossa carreira, mas também principalmente na nossa vida, somos todos multipotencialistas. Uma mesma pessoa é uma boa filha, uma boa esposa, uma boa mãe, uma boa amiga, uma boa funcionária, uma boa empreendedora. E **tudo ao mesmo tempo**. Vivemos a coexistência de várias áreas – pessoal, profissional, amorosa, social, espiritual –, tantas que eu poderia ficar um capítulo inteiro relatando-as, mas vamos poupar o nosso tempo.

Até temos hobbies favoritos, e nas nossas escolhas também não acontece de forma diferente. Você gosta de várias pessoas, várias cores, vários filmes, várias séries. Entendeu como funciona? E **é esse conjunto de pluralidades que o torna único, com uma única combinação de diversas coisas ao mesmo tempo, todas em movimento.** Esse é você. Único em um mundo com quase 8 bilhões de habitantes.

"A vantagem de não ter apenas um único potencial desenvolvido é você descobrir que tem vários."

11. SOFT SKILLS

Todo mundo já enfrentou problemas de relacionamento com colegas de trabalho, ou dificuldades para expor as próprias ideias no ambiente profissional. De uma forma ou de outra, em algum momento você pode ter se sentido **desestabilizado emocionalmente**, ou se sentido sozinho quando procurou um direcionamento e ouviu um "se vira". Nem todo mundo está pronto para **lidar com pessoas**, o que exige uma gigantesca habilidade, uma **super-habilidade**, mais conhecida hoje como *soft skills*.

Visando resolver esses problemas bem mais comuns do que você imagina e buscando melhorar os resultados, pessoais e profissionais, é extremamente necessário que desenvolva *soft skills*, e eu vou lhe explicar o que são e como desenvolvê-las.

Você já ouviu falar em *soft skills* ou **hard skills**? Se ainda não está familiarizado com essas expressões, não se preocupe. A parte mais simples é entendê-las, ainda que as **colocar em prática seja mais complexo** e leve tempo, mas não é de modo algum impossível. As *hard skills* **são habilidades técnicas** que você pode aprender, como se tornar fluente em algum idioma ou dominar uma ferramenta. Já as **soft skills** são **habilidades comportamentais** que lidam com relações interpessoais. Por exemplo, profissionais que têm **inteligência emocional** (uma importante *soft skill*) se diferenciam da média. São elas que realmente capacitam alguém para ocupar cargos de liderança, e envolvem o grande desafio de lidar com outras pessoas e consigo. **Apenas inteligência e experiência não bastam.**

"Ou aumentamos nossas habilidades ou diminuímos nossos sonhos."

JIM ROHN

Hoje em dia, além de se tornar o melhor possível na sua área, é fundamental desenvolver suas *soft skills*, que significam **uma forma de colaborar de maneira mais produtiva nos ambientes por onde você passa.** Flexibilidade, capacidade de trabalhar sob pressão e proatividade são bons exemplos. E como fazer para desenvolver essas habilidades? Em primeiro lugar, é importante abraçar a cultura do feedback. **Ouvir é mais relevante do que falar.** É importante perguntar para as pessoas que trabalham e se relacionam com você, com as quais tenha mais intimidade, os pontos em que você poderia melhorar. Nessas horas, no entanto, tente validar se as críticas são de fato construtivas. Saber se posicionar com clareza e firmeza em alguns casos também é fundamental, mas sempre com amorosidade. E tudo isso requer treino e disciplina constante, **análise do seu comportamento e foco no auto-desenvolvimento de suas habilidades e *soft skills*.**

Proponha-se a praticar as *soft skills* nos ambientes em que você interage com outras pessoas. Seja mais colaborativo, mais flexível, não hesite em se adaptar às mudanças, disponha-se a ouvir antes de ser ouvido e **coloque-se no lugar do outro antes de pensar em como reagir a ele.** Ao incorporar isso no seu cotidiano, você começará a notar que as pessoas vão tratá-lo de forma melhor, sua opinião será ouvida com mais atenção, você vai se adaptar a qualquer lugar com mais facilidade e as suas relações serão muito mais leves. Para se desenvolver, basta iniciar o processo de prática contínua. Quando você menos esperar, estarão elogiando suas habilidades. Quer um bom exemplo de como isso funciona na prática? Assista ao filme *Os estagiários* (2013).

"O mundo nem sempre é dos mais fortes ou dos mais preparados, mas sim dos que melhor se adaptam às mudanças."

LEON C. MEGGINSON

Pode parecer simples, mas, caso prestemos atenção à nossa volta, veremos que, se todos praticassem as *soft skills*, além das *hard skills*, a maioria dos conflitos atuais nem sequer existiria. **A alta performance é o mais próximo do que eu chamaria de segredo para a excelência profissional.** As pessoas mais bem-sucedidas do mundo têm alta performance e *skills* bem desenvolvidas. Foi por meio delas e de muito estudo que consegui desenvolver todas as minhas carreiras e todos os meus potenciais, e hoje me reconhecer como multipotencialista.

Lembro-me de um dia em que fui me apresentar durante uma premiação da MTV, anunciando a categoria cujos premiados eram Luísa Sonza e Whindersson Nunes. Durante o ensaio, tínhamos decorado as falas e organizado as posições, passado o roteiro algumas vezes, e eu me sentia pronta para subir no palco. Também teríamos o apoio de um teleprompter, usado para os apresentadores lerem o roteiro enquanto olham para a câmera. **Estava tudo pronto e parecia tudo certo**. No entanto, só me esqueci de um importante fato: sou míope e não enxergo tão bem a distância. Quando entrei, fiquei procurando o teleprompter, que não encontrei até deixar o palco. Portanto, **tive que recorrer a algumas habilidades** como improviso, oratória e estratégia, **e também as *soft skills*** de resiliência, firmeza, comunicação e calma. Se não fosse a minha tranquilidade, naquele momento poderia ter colocado tudo a perder ao vivo e em rede nacional. Moral da história: **quando tudo der errado, é a gente que vai ter que fazer dar certo,** e é nesses momentos que usamos e abusamos das nossas habilidades.

"**Soft skills** são as valiosas competências comportamentais do futuro."

12. FAÇA O QUE AMA E GANHE DINHEIRO COM ISSO

Você já parou para questionar sua sensação quando pensa no que faz para viver? Tem uma profissão que está de acordo com os seus princípios? **Você faria o que faz hoje mesmo se não ganhasse?** E se não está feliz e sabe disso, será que não pode agir para melhorar?

Para a maioria das pessoas, trabalhar com o que amam é praticamente fantasia, afinal, **estamos condicionados a viver no piloto automático**, conduzidos pelo sistema que já foi nos imposto há anos. Não são todas as pessoas que vão **se arriscar e ir contra essa situação**. Sabendo disso, vislumbramos dois tipos de pessoas: as que trabalham focadas em quanto vão receber, e as que trabalham movidas por um propósito, ou atuam com o que amam e ganham dinheiro em consequência disso. E você? Qual tipo de pessoa você é?

"Inspire-se a fazer as coisas de que gosta, e conheça o verdadeiro significado da Liberdade."

Trabalhar com aquilo que a gente ama é o maior privilégio que nos proporcionamos na vida. Falando assim, até parece bem simples, mas na prática não é, pois envolve um caminho estreito, de muita evolução e autorresponsabilidade. Se você não fizer por você, ninguém vai fazer. Quando atingir a sua conquista, perceberá que todo o processo valeu muito a pena. **Não tem salário que compre o sentimento de realização e paixão.**

No meu caso, desde pequena sonhava ser atriz. **Busquei meu objetivo incansavelmente até conseguir me realizar.** Comecei a trabalhar e a estudar muito nova, e dediquei-me muito, porque eu sabia que algum dia chegaria lá se trabalhasse para isso. E cheguei! Hoje sou atriz profissional formada, e estou há vinte anos no processo de amadurecimento da minha carreira. Porém, na internet, a minha história é bem diferente, pois aconteceu de maneira muito espontânea e natural. **Foi uma paixão que aprendi a monetizar.** Lembro-me de ter uns dezesseis anos quando comecei a fazer twitcams (uma forma de fazer live pelo Twitter) semanalmente, ligando para várias pessoas pelo país inteiro. Realizei diversos ensaios fotográficos que viralizaram pela internet inteira. Fui convidada pela Forma Turismo para participar de web séries de viagens com vários influenciadores. **Passei a ganhar projeção nacional** e ser convidada para presenças vips em matinês, tardes de autógrafos, apresentação de eventos importantes, entre outros prêmios e conquistas.

Consideravam-me uma "tuiteira" na época. Era 2011, e eu acumulava mais de 100 mil seguidores no Twitter, coisa rara em uma época em que inexistia a cultura de influenciadores. E **nem nomenclatura havia para definir aquilo que a gente fazia.** Percebi a relevância das minhas publicações na vida das outras pessoas e passei a ter mais cuidado com o conteúdo que abordava. Algumas marcas me procuravam para estudar possibilidades; de outras **eu mesma ia atrás para desenvolver algum projeto específico.** Lembro-me de vender três tweets para o Boticário na época por 1.500 reais, muito dinheiro para mim. E ainda consegui fazer um workshop com um diretor estrangeiro usando esse dinheiro. **E foi assim que compreendi que minha paixão poderia se tornar uma profissão,** uma nova área de mercado. Passei a me dedicar mais à minha carreira no mercado digital, e hoje a maior parte dos meus rendimentos vem daí. Talvez, se eu não tivesse apostado as minhas fichas nessa área, investido tempo e energia e estudado para evoluir, não estaria lucrando com isso. Compartilhar sempre foi minha paixão, assim como a arte de atuar, e depois de muito investimento pessoal, **hoje posso dizer que as minhas paixões me bancam.**

"Estamos na era colaborativa, em que as pessoas criam os próprios negócios e desenvolvem formas únicas de ganhar dinheiro."

Muitas vezes a oportunidade está bem diante de você, que não consegue enxergá-la porque só consegue ver um dos caminhos que pode seguir. Eu vou lhe mostrar como é possível trabalhar com o que ama e ainda ganhar dinheiro com isso. Pegue uma folha de papel e o seu celular, e comece a pesquisar as áreas em que você poderia trabalhar, as quais se relacionam com as coisas que mais gosta de fazer naturalmente. Por exemplo, vamos dizer que seja apaixonado por redes sociais e queira viver disso; em poucas horas na internet, você encontrará diversas novas profissões que trabalham com marketing de influência. Tente identificar qual função seria a sua cara, e aí comece os estudos e dedique-se para alcançar o que deseja. **Todos os dias surgem diversas novas opções de profissões a serem exploradas.** E há também quem desenvolva a sua própria função ou cargo. Nessas horas, use a sua criatividade e imagine como você se vê daqui a uns anos e onde gostaria de estar. Esse exercício ajuda muito na hora de identificar uma carreira profissional e fazer novos ajustes ao longo do caminho. **Nunca é tarde para viver do que se ama. :)**

Agora que você já encontrou o caminho que gostaria de seguir, é hora de elaborar um planejamento de carreira com metas e objetivos para que transforme em realidade os seus planos, como já aprendeu nos capítulos anteriores. **Trabalhando com o que ama, os resultados vão ser muito mais satisfatórios do que seriam ao trabalhar por obrigação**, possibilitando-lhe evoluir com mais facilidade e naturalidade, por sentir prazer fazendo o que faz, e ainda fazendo o que ama.

"O início do caminho pode ser a descoberta de uma nova paixão ou a monetização de uma antiga."

13. MULTIPLICIDADE DE CARREIRA

Nós somos seres múltiplos vivendo esta experiência múltipla chamada vida. Você já leu isso ao longo dos últimos capítulos e, a esta altura do livro, já deve ter virado a **chave das possibilidades** dentro de si. Gosto de chamar a multiplicidade de chave também de múltiplas possibilidades porque é assim que a enxergo. **O mundo é gigante, imenso, infinito,** são oito bilhões de pessoas, incontáveis famílias, comunidades... Quer um lugar mais múltiplo que nosso planeta? **Dentro de você há tantas coisas ainda para serem descobertas,** tantas paixões, vontades, ambições. E por sermos múltiplos, nossa atuação profissional também tende a ser assim.

Há quem afirme que a **multiplicidade de carreiras é uma tendência do século 21**, mas acho que o ser humano naturalmente vai evoluindo e expandindo a sua consciência com o passar do tempo, e assim **atualizando as formas de fazer, de se relacionar, de trabalhar,** que na verdade já estavam lá o tempo todo. É só a gente que muda, evolui e passa a enxergar as coisas de modo diferente. **Hoje é muito comum encontrarmos pessoas que prestam mais de um tipo de serviço**, têm mais de dois empregos, dedicam-se a um trabalho extra remunerado, mais conhecido como o famoso "bico". Ainda mais nós, brasileiros, que vivemos em um país de desordem e regresso, onde pouco contamos com o governo federal, portanto só nos resta como **saída nosso próprio eu**. Só nos resta investir nos nossos maiores potenciais e nas nossas mais importantes habilidades em prol do desenvolvimento de múltiplas carreiras que podem maximizar a nossa renda.

"Não coloque todos os ovos na mesma cesta."

WARREN BUFFETT

Quem me dera se só as minhas carreiras e orgasmos fossem múltiplos! Os nossos problemas também o são. E se você aplicar esse conceito a tudo que o rodeia, vai identificar a multiplicidade de todos. Agora que já se reconhece enquanto repleto de habilidades, *soft skills*, talentos, competências e toda essa pluralidade, acho que podemos entrar no assunto de formação de carreira profissional. **Atualmente, a multiplicidade de carreira é muito bem aceita, inclusive no aspecto jurídico.** Está tudo bem você prestar mais de um serviço e ser remunerado pelos dois, por meio da emissão de nota da sua empresa, e está tudo bem se você quiser continuar no regime CLT e encontrar um cargo que faça parte do seu caminho de construção profissional.

A escolha é apenas sua, e só você mesmo vai saber o caminho melhor para você e as escolhas que se ajustam mais ao seu **planejamento de vida**. E lembre-se de que escolhas podem ser alteradas a todo e qualquer momento. Se hoje você está feliz com um emprego, amanhã pode não estar, e tudo bem. **Nunca é tarde para reformular decisões.** O importante aqui é que se sinta bem, feliz e trabalhando com aquilo que ama. Como vai fazer é uma decisão que só cabe a você.

"Múltiplas escolhas, infinitas possibilidades."

NILSON MOSS

Em uma época em que eu já trabalhava como atriz, apresentadora e modelo, e a minha carreira digital estava em ascensão, surgiu o termo "influenciadores", e começaram a chamar a gente assim. **Percebi que eu tinha mais uma profissão para acrescentar às minhas múltiplas carreiras.** No início foi muito difícil, porque ninguém conhecia esse termo ainda, nem eu mesma, e todas as pessoas se manifestavam de maneiras preconceituosas com as minhas escolhas. Viam-me, por exemplo, menos atriz, por eu também apresentar, e menos modelo, por eu também influenciar. E eu ouvia isto de todos os lados, de agentes a familiares: **"Você quer fazer de tudo"**. Eu mesma negava isso no começo; só queria me realizar e fazer as coisas que amo. Se seria remunerada ou não, se daria certo ou não, nada importava. Eu fazia pelo simples fato do fazer.

Em 2017, eu me agenciei com uma empresária famosa do meio artístico. Demorei quase duas horas contando a ela tudo que já tinha feito na minha carreira, em uma conversa superleve. **Depois de um tempo, fechamos o contrato e começamos a trabalhar juntas.** Lembro que ela reclamava um pouco por eu focar a energia em tantas coisas ao mesmo tempo, mas nunca faltei em meu trabalho de atriz e em meus compromissos com minha agente. Quando **eu estava na Austrália, me ligaram para fazer uma campanha gigante** de uma das maiores marcas no país três dias depois da ligação, fotografada no Brasil, e eu estava a 27 horas de distância e mais de 12 mil quilômetros. Ofereceram-me um cachê muito alto, e liguei na hora para a minha empresária, de quem ouvi uma frase que me magoou: "É por isso que as atrizes não ganham **mais grandes cachês, porque vocês, influenciadores, existem com esses cachês".** Isso me doeu de duas maneiras: a primeira por não parecer que eu também era atriz, pelo modo como ela falava, e a segunda pelo fato de minha empresária estar desmerecendo o meu trabalho e o valor que me ofereceram. E ainda vale considerar que, como minha própria empresária, ela e se beneficiava da comissão do trabalho que naturalmente chegava até mim.

Esse episódio e tantos outros parecidos se prolongam até hoje, mas em proporção menor. **Pessoas com mente fechada nunca vão compreender a mente aberta de quem enxerga as infinitas possibilidades** que o mundo tem a oferecer enquanto se está vivo. E tudo bem, ninguém é obrigado a entender. Mas já saiba disso, antes de se decepcionar. Tenha consciência de que muitos vão se incomodar pelo simples fato de não o entender, mas você também não precisa que o compreendam. **O importante é você mesmo se compreender, porque, no final, é você por você mesmo. :)**

"Cada ser humano apresenta múltiplos aspectos e, ainda assim, cada um tem características próprias. É isso que nos torna únicos."

14. FÉ É PARA QUEM NÃO PERDE O FOCO

Resolvi buscar o real significado de fé e encontrei isto: é **a adesão incondicional a uma hipótese** que a pessoa passa a considerar como uma verdade, mesmo sem provas, pela **absoluta confiança na ideia.** Dizem que religião não se discute, e concordo. Já a fé é outro assunto, porque nem sempre é uma questão religiosa. Estamos falando sobre uma **profunda crença em você** e na sua realização pessoal. A fé que tem em si é um dos maiores combustíveis para construir um lindo legado.

Se você quer realizar grandes coisas, mantenha foco total na sua jornada. E isso não é uma tarefa fácil. Muitas distrações vão aparecer nos momentos mais relevantes de foco. A lei de Murphy está aí para comprovar esses acontecimentos. Mas, mesmo assim, não é impossível. Lembra-se da gestão de tempo? Ela também serve como **gestão de distrações.** Quando estiver elaborando o seu planejamento semanal, já reserve alguns momentos para se distrair sem fazer nada. **O fazer nada também é muito importante** e necessário, e podemos chamá-lo de ócio criativo. É nos momentos em que você relaxa e silencia sua mente que podem aflorar grandes ideias e insights. **Encontrar**

o equilíbrio perfeito entre descanso e trabalho é a nossa mais significativa missão enquanto seres múltiplos.

"Pessoas que não têm foco também não têm resultados."

Foco para nutrir a vontade, força para correr atrás e fé para não desistir. Perder o foco de vez em quando é saudável; perceber que está há três meses sem foco e apenas existindo é o problema. O **foco ajuda a gente a nutrir aquele sonho**, aquela vontade, diariamente. Quando você alcança uma meta, empolga-se ainda mais para continuar no processo e receber o resultado final. Lembra que falamos sobre o foco no processo? **Se você só se enxerga lá na frente, vai acabar pulando as etapas;** foque-se em cada degrau da subida e, quando menos esperar, **vai estar lá em cima já pensando na próxima escada a escalar. :)**

Às vezes tudo parece tão complicado que dá uma grande vontade de desistir. Já desisti algumas vezes, mas **em menos de uma semana retomava meu caminho**. E lá estava eu desenhando mais um planejamento em que me focar e realizar. Não tem jeito, o nosso propósito vai sempre falar mais alto. O momento pode não ser agora, ou pode não ser quando você quer exatamente, mas a vida vai lhe mostrar a hora certa para você se focar mais. **O nosso destino é programado para acontecer e nos colocar no caminho dos nossos sonhos**, mas, se a gente se perder e não se encontrar mais, se a gente não fizer minimamente por onde, não tem jeito, ele não vai acontecer sozinho. O seu caminho seguirá adiante se você estiver focado durante a jornada.

"Cada homem é criador do seu próprio destino."

FRANK MILLEN, ADAPTADO

Quando a gente partir desta experiência, ou seja, quando a vida acabar, o nosso legado continuará ecoando pelos quatro cantos do mundo. Nosso destino, nosso legado e nossa história estão interligados às nossas ações. **Não tem jeito; ou fazemos acontecer ou não vivemos.** A escolha é nossa. **Foco significa basicamente escolher a cada dia fazer ou não por você.** Às vezes, você vai acordar menos animado, mais para baixo, meio sem foco. Tudo bem. Nesses momentos fará menos pelo seu destino, tendo em mente que descansar e se respeitar são importantes para a sua jornada. No próximo dia, você acorda e escolhe ter foco. Fazer o dia render e ser produtivo são elementos que o aproximam cada vez mais de tudo aquilo que você deseja realizar. E é assim, um dia após o outro.

Tenha consciência de que foco é uma escolha diária, é permitir escolher quando você estará mais focado e em qual projeto, e quando estará menos focado em realizar e mais focado no seu ócio criativo. **Equilíbrio é tudo na vida, e não é à toa que essa expressão se tornou um clichê.** É dessa forma que a gente conquista a jornada, sem nos esquecermos da pessoa mais importante, nós mesmos. Focar a saúde enquanto foca a jornada é preservar o que se tem de mais importante, a vida. **O processo precisa ser tão lindo quanto a chegada.** E no final de tudo, você vai se orgulhar muito do caminho que trilhou e ainda inspirar muitas pessoas a trilharem os delas também.

"Faça hoje o que lhe trará orgulho amanhã."

MAYARA BENATTI

15. DINHEIRO É INSTRUMENTO, ORGANIZE SUAS FINANÇAS

É muito difícil alguém que nunca tenha contraído uma dívida, o que decorre de enxergarmos o dinheiro com um bicho de sete cabeças, difícil de controlar. Muitas vezes recebemos por um trabalho e, quando nos damos conta, não sobrou um centavo sequer. Mas será que a culpa é só nossa? Durante o nosso crescimento e desenvolvimento, passamos anos na escola, em cursos superiores ou até em outros aprendendo uma variedade de coisas, **mas em que momento alguém nos ensinou como cuidar do nosso dinheiro?** Como investir? Como organizar nossas finanças?

Ainda adolescente, fui procurar cursos de atuação para teatro e cinema. Sempre sonhei com isso para evoluir, amadurecer e me profissionalizar, mas infelizmente, tão logo vi os preços que precisaria pagar por todo aquele conhecimento, percebi que **o dinheiro seria um recurso fundamental** se eu quisesse me profissionalizar como atriz. Na época, eu já fazia alguns trabalhos na área, mas ganhava cachês muito baixos atuando em desfiles infantis, catálogos de moda, feiras de eventos, publicidades e como animadora de buffet infantil fantasiada de princesa. Mas a mesma ideia continuava me martelando a cabeça: **como eu faria para conseguir o dinheiro dos meus cursos e conseguir investir em mim?**

"Quando você tem pouco dinheiro, invista em você. Quando tiver muito dinheiro, aí invista no banco."

Organizar as finanças implica ter pelo menos uma mínima noção do quanto se gasta e com o que gasta durante o mês. Às vezes estamos gastando mais com futilidades e distrações do que com o nosso próprio planejamento de vida. **Dinheiro é instrumento para você alcançar as coisas de que precisa e chegar aonde decidiu.** Porém, as finanças precisam estar alinhadas com o discurso. E o jeito que encontrei, e que talvez não funcione para você, foi me tornar mão de vaca. Simplesmente gastava só com o necessário para sobreviver e o restante guardava para juntar o valor do curso e conseguir investir em mim. Foi assim que poupei dinheiro, economizei o que conseguia, e finalmente me inscrevi nos cursos que eu tanto desejava. Depois de um tempo, comecei a aprender mais sobre **inteligência financeira**, informações a que não tive acesso na época do colégio. Sortudas são as crianças que recebem tais ensinamentos na escola e já saem com um *mindset* **financeiro mais expandido.**

Sempre fui aquela menina que era até chata de tanto perguntar as coisas, sabe? Extremamente curiosa, queria entender todos os processos de tudo. E como não poderia ser diferente, lá estava eu perguntando aos adultos sobre dinheiro, sobre como ganhar mais, como conseguir pagar um curso, como organizar as minhas finanças e coisas do tipo. **Devagar aprendi a guardar um tantinho do que eu ganhava e investir um pouco em mim para conseguir trabalhos melhores, que me projetassem na minha carreira.** Conforme fui crescendo e amadurecendo, busquei mais conhecimento sobre educação financeira, até acabar encontrando canais no YouTube como o "**Me poupe!**", apresentado pela **Nath Arcuri**. Aí está um dos aprendizados na vida que mais me geraram valor, por isso quis compartilhar o canal com vocês. Por meio dele me senti incentivada a conhecer cada vez mais sobre **como controlar o meu dinheiro e como fazer ele trabalhar por mim, o que me ajudou a alcançar o lugar a que quero chegar.**

"Dinheiro não traz felicidade – para quem não sabe o que fazer com ele."

MACHADO DE ASSIS

Esta é uma das decisões mais importantes da vida: **determinar o melhor momento para investir o seu dinheiro em você mesmo**, pensando sempre em maximizar os seus ganhos, alcançar os seus objetivos e expandir o seu desenvolvimento. A partir do momento que você **organiza suas finanças e consegue se planejar de acordo com o que ganha**, as coisas que antes pareciam impossíveis e distantes estarão ao seu alcance: estudar, viajar, investir em equipamentos ou em algo de que precise. **Você mesmo, por meio do seu capital próprio, irá expandir a sua carreira cada vez mais.**

Se você quer **se aprofundar nesse assunto**, e já percebeu que vale a pena, existem diversas opções de estudos além do canal que citei. Adoro ler e escrever livros, já deu para perceber, né? Algumas das leituras que mais me impactaram nesse tema foram dois grandes best-sellers considerados bíblias no mundo da **educação financeira**: *O homem mais rico da babilônia*, **de George Samuel Clason**, e *Pai rico, pai pobre*, **de Robert T. Kiyosaki.**

"Cuidar de si mesmo não é gasto, é investimento."

16. DISCIPLINA TEM QUE VIRAR ROTINA

Ainda que não sejamos todos iguais, somos bastante parecidos. Alguns aspectos nossos, seres humanos, acabam se assemelhando muito, razão pela qual os memes, por exemplo, são tão disseminados nos dias de hoje. Como uma mesma imagem pode incorporar algo em comum para tantas pessoas? **Porque somos mais parecidos do que a gente pensa.** Este livro mesmo, enquanto você o lê, mais pessoas estão lendo-o, e mesmo que todas sejam diferentes em idade, região e mais alguns quesitos, com certeza vão se identificar pelos mesmos insights. E existe um tema que motiva quase todos os seres humanos a parecerem agir de forma parecida. **Tenho certeza de que você já se propôs a começar uma dieta e entrar na academia na segunda-feira**, mas não conseguiu manter o foco no objetivo, nem mesmo por uma semana. Nesse sentido, a mais importante habilidade que precisa desenvolver, e vai ajudar no desenvolvimento de várias outras, é a **disciplina. É ela que vai permitir-lhe manter o foco nos seus objetivos diariamente.**

Eu sempre pratiquei diversos tipos de atividades físicas por hobby mesmo; sempre gostei muito e aprendi muito com cada uma, mas foram as artes marciais que mais me ensinaram sobre **disciplina.** Pratiquei **muay thai** durante bastante tempo, e confesso que no começo foi muito difícil. Não conseguia me adaptar e acompanhar os treinos no ritmo do treinador, que exigia muito de mim; não me sentia muito forte, tampouco capaz. **Pensei muitas vezes em desistir,** mas, mesmo com todas as dificuldades, resolvi insistir e continuar tentando, porque gosto muito do esporte. E assim fui **evoluindo gradativamente,** dia após dia, com muita paciência até conseguir uma prática leve, sem cobranças e por pura diversão. Nessa época não só aprendi **o poder da disciplina,** mas também percebi que **o aperfeiçoamento vem naturalmente com o processo,** e a **disciplina me fazia não desistir do objetivo.** Disciplina nada mais é do que a soma de força de vontade e constância. Se você se propôs a alguma coisa e consegue realizá-la por um mês, está disciplinado. **Disciplina é cumprir o que você mesmo se prometeu.**

"Disciplina é o que separa o sonho da realidade."

AUTOR DESCONHECIDO

A disciplina, um poderoso agente em nossa vida, não trabalha sozinha, pois depende da força de vontade. Por mais indisciplinado que você acha que seja, isso pode ser alterado a qualquer momento. Já ouviu falar no **poder do hábito?** Durante 21 dias praticando uma mesma atividade, algumas rotinas são criadas no subconsciente, o que faz com que a disciplina flua de modo natural, depois que o hábito está formado. Nesses primeiros 21 dias, você terá muita vontade de desistir, algumas distrações, outras possibilidades, mas mantenha-se firme no caminho. Cumpra o que você prometeu a si mesmo. :)

As chances de sucesso estão diretamente relacionadas ao comprometimento. Se você não tiver comprometimento em realizar as atividades a que se propôs, dificilmente vai atingir o sucesso que tanto almeja. Recomendo-lhe que defina **objetivos e metas fáceis de alcançar**. Assim, após cada pequena vitória, você se sentirá mais confiante e desafiado **a conquistar cada vez mais**. Determine metas que dependam exclusivamente de si mesmo e da sua ação. Às vezes, já começar dependendo de outras pessoas pode desencadear frustração e desistência logo no início. **Com disciplina, você se tornará uma pessoa mais preparada para qualquer desafio** que surja ao longo da vida, cumprindo suas metas, superando suas promessas pessoais, e dando cada vez menos margem para procrastinações e distrações.

"Disciplina é fazer o que precisa ser feito, mesmo sem ter vontade."

As pessoas mais bem-sucedidas do mundo também são as mais comprometidas e disciplinadas. E não à toa. **O sucesso é uma questão de trabalho e persistência.** Não tem segredo. Por meio da disciplina diária e de muito trabalho duro, você vai atingir tudo aquilo a que se propuser. Uma vez li um texto sobre a **prática de virtudes**... O autor, cujo nome agora não lembro, explicava que nós estamos aqui na Terra para desenvolver as nossas virtudes; é isso que a nossa alma busca. Resolvi então começar a trabalhar e desenvolver as minhas virtudes, o que só me trouxe **valores positivos**. Percebi que havia muitas coisas que eu nem sabia que eram virtudes e já desenvolvia naturalmente durante a minha jornada, como compaixão e empatia. E muitas outras a que não dei a devida atenção, as quais me acenderam alguns insights. **Para desenvolver as suas virtudes, você basicamente**

precisa estudar sobre elas, ou sobre as que mais lhe interessam, **e colocar em prática. :)**

É preciso muita disciplina diária para desenvolver qualquer coisa que **se queira fazer na vida**, inclusive virtudes. As principais **virtudes humanas** são: autenticidade, bondade, empatia, compaixão, diligência, coragem, excelência, fidelidade, generosidade, gratidão, honestidade, honra, humildade, justiça, paciência, perdão, prudência, respeito e responsabilidade. São centenas de virtudes sobre as quais você pode estudar, colocando-as em prática diariamente para evoluir. **Uma coisa é certa, você só tem a ganhar com isso.**

"O sucesso é apenas disciplina praticada todos os dias."

JIM ROHN, ADAPTADA

17. COMECE PELO MAIS DIFÍCIL

Pense nas pessoas do seu ciclo social. Quais delas estão sempre procurando o caminho mais fácil, os **famosos atalhos da vida?** E quais delas trilham, sem medo, o caminho mais difícil? Quais dessas pessoas, de fato, **alcançaram o sucesso?** Nasci em Osasco, SP, de uma família muito humilde, com muitos tios e primos; todos trabalhavam em várias funções desde cedo e se desdobravam para vencer na vida, morando praticamente toda a família na mesma casa. Aprendi com eles que **escolher o caminho mais fácil nunca foi uma opção.** De uma forma ou de outra, a vida nos mostra que, para construir algo sólido, verdadeiro e duradouro, não podemos escolher atalhos; temos que **fazer o que é preciso, fácil ou difícil.**

Durante a minha jornada, nunca procurei atalhos. Sempre dei muito valor aos ensinamentos decorrentes de cada conquista ou dificuldade. Ainda que vendo as pessoas que seguiam por atalhos **colhendo frutos superficiais e temporários,** me mantive de acordo com os meus princípios, o que me permitiu construir **uma carreira sólida em**

um caminho mais lento, sem atalhos. E cuidado, muitos confundem atalhos com oportunidades! Nem todas as oportunidades estão aí para serem aceitas. **Dizer não para alguém, em muitos casos, é dizer sim para o próprio projeto de vida.** Se a oportunidade não condiz com seus princípios, valores e virtudes, não a aceite. E tudo bem; **algumas coisas piores vão embora para que melhores cheguem. É sempre assim. :)**

"Se uma palavra pode mudar tudo, imagine uma iniciativa."

AUTOR DESCONHECIDO

Começar pelo mais difícil é começar por onde a gente deve começar. Sem romantizar o caminho, mas pelo início mesmo. Você costuma ver a grama do vizinho mais verde do que a sua, porque vê apenas o cenário do vizinho, e você está no *backstage* do palco. **Não compare o seu *backstage* com o palco de outra pessoa.** Não foi fácil para ela, e vai ser difícil para você. Será difícil para ambos, mas, por você desconhecer a luta e as dores do outro, a situação dele vai parecer mais simples do que a sua. **Sempre que for começar alguma coisa na vida, comece pelo mais difícil.** Estude e planeje cada etapa, entenda com clareza e consciência o que precisa ser feito, preveja o que pode dar errado, planeje-se e aperfeiçoe o projeto ao máximo, durante o processo.

E às vezes o mais difícil é o simples começar mesmo. A dificuldade, em alguns casos, decorre da **falta de iniciativa.** Não se esqueça do seu novo mantra: "Antes feito do que perfeito". Você tem duas escolhas: **ou começa a se realizar agora, ou começa a se realizar depois.** Em algum momento da sua vida, essa decisão pesará. **A gente não consegue se manter aqui simplesmente existindo.** A nossa alma quer mais, quer se realizar, quer vibrar alto, quer se empolgar com uma oportunidade, quer viver.

"Iniciativa é fazer sem esperar o convite de ninguém."

Quando a gente depara com muitas tarefas para dar conta, é necessário priorizá-las, começando pelas mais urgentes. Ao realizar as tarefas mais simples em primeiro lugar, você terá um gás extra para seguir e realizar todas as outras, e **quando se começa pela mais difícil, o peso do processo se torna menor, e todo o caminho, mais leve**. É como se agora se dispusesse de até mais tempo para resolver as demais. Não existe uma ordem correta; organize as coisas **de acordo com a sua vontade e as suas prioridades**. O ideal é que você mantenha disciplina para realizar todas elas, e de maneira mais consciente, agora que entende melhor o assunto.

A prática diária de cumprir com disciplina aquilo a que você se propôs **maximiza a proatividade e a capacidade de solução de problemas**, bem como as habilidades hoje necessárias para qualquer coisa que se queira fazer na vida. Acredite se quiser, mas esse hábito se tornará um dos seus principais aliados caso busque se transformar em uma pessoa mais produtiva. **Quanto mais realizações você alcançar, mais vai querer buscar as próximas.**

"A falta de coragem de ter iniciativa faz a pessoa perder momentos incríveis."

18. SEJA SEMPRE GRATO

Pare para pensar na última coisa de que você reclamou. Aposto que tem alguém, em algum canto do mundo, que **agradeceria para ter exatamente isso do que você está reclamando**. Enquanto se deixa de comer algo por estar enjoado da mesma comida, pessoas morrem de fome por não ter nada para comer. E mesmo assim, algumas delas ainda **agradecem só por estarem vivas**. Será que você é realmente grato pelo que tem?

Pequenos gestos de gratidão diários podem ajudar pessoas a se sentirem mais valorizadas e confiantes, sabia? Ser gentil e alimentar pensamentos positivos é a base da gratidão. Tornar-se uma pessoa que controla as próprias reclamações e agradece diariamente as experiências que vive, boas ou ruins, é **fundamental para se viver bem**. Reclamar constantemente é uma prática que vai no caminho oposto ao da gratidão, como inclusive evidencia a etimologia da palavra do latim **(re)clamar: pedir de novo; solicitar mais**. À medida que você reclama sem parar, o universo entende que quer mais daquilo. Por isso é **fundamental que controlemos as nossas ações diariamente e sejamos gratos**

por ultrapassar todos os obstáculos e desafios que nos são impostos. **Dessa forma, você afasta a negatividade e fortalece a autoconfiança.** O sentimento de gratidão deve ser desenvolvido principalmente para que possamos apreciar tudo de uma maneira diferente, sob uma ótica mais positiva.

"A gratidão é a virtude das almas nobres."

ESOPO

A gratidão entrou na minha vida de uma maneira muito intensa quando eu tinha dezoito anos. Em 2011, participei de um projeto de palestras pelo Brasil inteiro, o que me levou a viajar mais de quarenta vezes, ao longo de dois anos, para a maioria dos estados brasileiros e para várias cidades do interior de São Paulo. Em uma dessas viagens, estava em **Belo Horizonte** com minha equipe, local onde fizemos três palestras em um mesmo dia. Era um projeto simples, sem muito luxo, nós íamos e voltávamos de carro, às vezes de ônibus. **Em raras ocasiões tínhamos verba para voar de avião.**

No domingo, quando voltávamos para casa, eu estava tão cansada que só pensava em dormir. Viajava numa Spin com dois minibancos no porta-malas, lugar onde eu dormia com um travesseiro e cobertor, sem cinto de segurança, porque estava deitada. **Lembro-me de ouvir as outras pessoas comentando que também estavam com sono, cansadas,** até que paramos um momento em um posto, para o motorista e todos os passageiros tomarem café e esticarem as pernas. Sem conseguir nem descer do carro, continuei dormindo. Depois seguimos viagem e, no km 77 da rodovia Régis, quase chegando a São Paulo, **o motorista dormiu no volante e nós capotamos umas quatro, cinco vezes.** Para piorar a situação, como eu estava deitada no banco, **cometera o erro de não colocar o cinto.** Só conseguia ouvir os gritos desesperados das pessoas que estavam no carro comigo, cinco segundos que pareceram cinco minutos, e ainda me recordo de cada detalhe daquele momento, coisa que não gosto nem um pouco de fazer. Eu não consegui ver a cena; não abri os olhos durante o acidente, apenas senti o peso do carro muito forte na minha cabeça cada vez que capotava. Ouvia o barulho de caminhões passando em alta velocidade. Desnorteada, vivi segundos de tormento. Quando acordei de verdade, estava sentada no teto do carro virado de ponta-cabeça no canteiro da rodovia, e via sangue e vidro. Naquela altura não sabia se todos estavam bem, não compreendia o que tinha acontecido. Só percebi que de fato o acidente **havia ocorrido.**

"Gratidão é reconhecer que a vida é um presente."

Inexplicavelmente, envolveu-me uma sensação de paz tão grande que cheguei a achar que tinha morrido. Quando abri os olhos, acredite se quiser, estava sentada no teto do carro, quase como se alguém tivesse me colocado naquela posição. Ao enfim conseguir sair do veículo, notei que **nada havia acontecido de grave comigo.** Qualquer pessoa que tivesse visto a cena do acidente não acreditaria que eu estaria aqui hoje para poder escrever esta história. Poderia ter sentido medo, ter trauma de viajar de carro, ou até ficar angustiada com toda a situação, mas só conseguia me sentir agradecida pelo **simples fato de estar viva.** E é desse presente que a gente não se dá conta, pelo fato de estar ali todo dia em nossa vida. **Estar vivo é a maior bênção que pode acontecer. Faça o seu tempo de vida valer a pena; você nunca sabe quando ele pode acabar.**

Praticar a gratidão diariamente enriquece a alma. Os impactos disso são instantâneos: você sentirá o coração mais leve e preenchido por saber que está fazendo a sua parte para transformar o mundo num lugar melhor, **enquanto também se transforma numa pessoa melhor.** Selecionei alguns hábitos que nos ajudam a desenvolver a virtude da gratidão: entender e desfrutar cada momento, cuidar das relações com carinho e atenção, perdoar e ajudar mais, abandonar o passado – **o presente é lindo, o futuro, mais ainda** –, abusar de palavrinhas mágicas – obrigado, por favor, bom dia **:)** – e meditar, **cuidar da mente e do corpo.** Um dia vi uma pesquisa que muito me sensibilizou, a qual destacava que um número expressivo de pessoas morre diariamente ao dormir, ou seja, elas se deitam e não acordam no dia seguinte para a vida. Durante a noite, fazem a passagem. Então, depois disso, todos os dias quando acordo faço questão de **agradecer pelo simples fato de ter acordado**, pois isso poderia não ter acontecido.

"Todos os dias 180 mil pessoas pelo mundo dormem e não acordam. Se você acordar, agradeça esse milagre."

19. SEJA AUTOCRÍTICO PARA EVOLUIR

Será que você tem coragem de identificar e assumir todos os seus defeitos? **Será que os outros não veem como defeito o que você enxerga como habilidade?** Que atire a primeira pedra quem não conhece alguém que acredita ser mais do que realmente é. A autocrítica está relacionada à nossa capacidade de autoavaliação com clareza e objetividade. É importante analisarmos os nossos atos, decisões e escolhas, perceber se tomamos a melhor decisão e o que poderia ser feito, caso o resultado não tenha saído como o esperado. **Essa é a melhor forma de transformar defeitos e fracassos do passado em sucesso no futuro.**

Ninguém melhor do que você mesmo para avaliar as suas escolhas, dentro do contexto, e saber discernir se foram boas ou não. Às vezes opinamos na vida alheia, ouvimos opiniões sobre a nossa, mas na realidade só cada um sabe o melhor para si próprio. **Por isso, no caminho para a evolução a autocrítica** é tão importante.

"O homem comum é exigente com os outros; o homem superior é exigente consigo mesmo."

MARCO AURÉLIO

Sempre fui autocrítica, às vezes até demais. Já cheguei a travar em cena, ou a esquecer todo o texto que havia memorizado só porque **não me sentia satisfeita com o trabalho que estava entregando**. Tive que aprender a dosar o meu nível de exigência em relação a mim mesma. Muitas pessoas passam por isso também. É necessário enfatizar que **precisamos separar a autocrítica da busca pela perfeição**, pois o ser humano perfeito não existe, e, ao não separarmos devidamente cada coisa, podemos **nos cobrar de forma excessiva, o que é altamente prejudicial** também para a saúde. Vamos trocar a palavra perfeição por **aperfeiçoamento**. Estar se aperfeiçoando constantemente é o caminho para uma jornada de grandes conquistas. **Buscar ser perfeito é o caminho para uma jornada de frustrações.**

De vez em quando, é fundamental reservar um tempo consigo para se analisar, se questionar, se autocriticar. Só **não seja exigente demais com você**, mas aproveite sempre que possível. **Nunca se esqueça do seu planejamento de vida**, avalie a sua autodisciplina e seu foco em realizá-lo. Já passamos da metade do livro, e como andam as coisas por aí? **Já está colocando em prática alguns insights que teve** ao ler *Antes feito do que perfeito*? :)

"Aprimore os seus pontos fortes e fracos para que siga evoluindo continuamente."

O autoconhecimento tem uma função sensacional: **livrar você da dependência da aceitação alheia.** Quem conhece a si mesmo não tem necessidade de autoafirmação. E a **autocrítica é um dos exercícios para o autoconhecimento.** Quanto mais você se conhece, mais joga luz nas suas sombras. A melhor parte de tudo isso está no fato de o resultado do autoconhecimento, da autocrítica, do desenvolvimento de habilidades **ser sempre a evolução.** Se você realmente está aplicando os insights deste livro na sua vida, já deve ter visto algumas mudanças. **Continue gerando esse movimento de melhoria contínua.**

Todas as suas ações irão trazer resultados, nem sempre os que você espera, às vezes, inclusive, até melhores. **Você vai receber proporcionalmente ao que faz e ao quanto se dedica.** Caso sempre se autocritique, a sua evolução será muito mais significativa do que a de uma pessoa que faz isso uma vez por ano, por exemplo. E não importa se a sua evolução é mais expressiva do que a da pessoa ao seu lado. **Você pode evoluir o quanto quiser; depende de você, as possibilidades são infinitas.**

"Conhece-te a ti mesmo, torna-te consciente da tua ignorância e serás sábio."

SÓCRATES

20. NÃO ACEITE CRÍTICAS CONSTRUTIVAS DE QUEM NUNCA CONSTRUIU NADA

Muitas vezes as pessoas que nos amam e estão à nossa volta procuram nos ajudar quando estamos passando por alguma dificuldade ou por algum momento ruim. Mas até que ponto essa ajuda – um conselho ou uma crítica – **impacta positivamente na sua vida?** Será que a pessoa de fato conhece ou vivenciou aquilo que ela está lhe aconselhando a fazer? **Nem todas as críticas são construtivas; muitas podem ser destrutivas.** E por isso é importante filtrar depois de ouvir, e decidir o que vai guardar ou não com você.

Sempre fui muito receptiva e sempre gostei de ouvir opiniões das pessoas. Perguntava o que elas achavam do que eu estava fazendo, **buscava a validação para as minhas decisões,** sempre confiando muito na opinião alheia. Mas um episódio me ensinou sobre o que é uma **crítica construtiva.** Eu participava de *Malhação* na época, e estava com muita vontade de fazer teatro. Como ninguém me convidava, não me viam nesse lugar, **fui atrás de criar as minhas oportunidades**. Montei um time e me assumi como produtora executiva do meu primeiro espetáculo. Não foi nada fácil, mas aprendi muito com a peça *Ladrões de estrelas*. A minha personagem, Violeta, abria o espetáculo com um monólogo supercomplexo e difícil, repleto de nuances e várias emoções diferentes. O texto era gigante, e eu sempre me sentia insegura.

Pouco depois de uma das nossas últimas apresentações, **eu me desentendi com o diretor da peça**. Estava no banheiro fazendo xixi e preparando-me para entrar no palco e apresentar o tal monólogo. Nunca me esqueci de uma das coisas que ele me disse: **eu era uma péssima atriz e só participava da peça porque estava pagando**. Na hora, apesar de o meu sangue ferver, não deixei aquilo me abalar na frente dele, mas, quando saí, desmoronei. No primeiro instante parecia fazer tanto sentido o que ele estava falando que **me questionei se eu era mesmo talentosa**. Mas, afinal, o que eu estava fazendo de errado? Depois do espetáculo, deixei a poeira baixar e, refletindo, percebi que não deveria dar tanta atenção àquela crítica; o que ela havia construído? Ele também estava ali para trabalhar e aprender, e em vez de me incentivar, me desencorajava. E aí caí em mim: **não precisaria aceitar aquela crítica porque não ia me ajudar a construir nada além de rancor.**

"Quando Pedro me fala sobre Paulo, sei mais de Pedro que de Paulo."

FREUD

Certas críticas acabam nos atingindo de **forma muito mais negativa** do que podemos imaginar, levando-nos a desistir de sonhos, de oportunidades, paralisando-nos e criando barreiras que nos deixam, muitas vezes, **estagnados na nossa jornada**. Por isso a necessidade de aprender a separar o joio do trigo. Separe as críticas de quem nunca construiu nada na vida das críticas de quem realmente lhe quer bem e torce pelo seu sucesso. **Por trás de uma crítica construtiva, sempre há uma lição ou um aprendizado a ser assimilado.**

Não são todas as críticas que você vai descartar. Muitas podem ajudá-lo, e muito, a construir o seu caminho. Às vezes a pessoa com uma bagagem de vida repleta de mais experiência só quer transmitir a você uma visão mais ampla do que poderia ser feito. **Conselhos de pessoas mais experientes nos ajudam a evoluir em nossa experiência.** Isso não é sobre aprender com os mais velhos; é sobre aprender com quem tem mais experiência na área em que você for entrar.

"Aprenda a separar o que te impulsiona do que te paralisa."

HELEN KIT

A partir de hoje, quando for criticado, antes de qualquer impacto que isso possa lhe causar, respire fundo e se pergunte: **Essa crítica é ou não construtiva? Ela vai ou não vai me agregar algum valor?** Pronto, assim você já consegue identificar e **absorver o que é de fato importante** e o que não deve ser levado em conta, situação em que agradece a opinião e a deixa de lado, livrando-se desse modo de qualquer influência negativa. **A opinião do outro pertence apenas ao outro.** Se ela agregar valor à sua vida, passa a pertencer a você também. Caso a crítica venha de alguém que o inspire de alguma forma, pare e reflita, se possível tente aderir a sugestões e coisas que lhe pareçam pertinentes; **existem conselhos supervaliosos que afloram em forma de críticas.**

"As pessoas criticam porque criticar é mais fácil do que fazer melhor."

AUTOR DESCONHECIDO

21. PLANEJE SUA VIDA, ESTABELEÇA METAS TANGÍVEIS

Das metas que você estabeleceu nesta semana, quantas realmente conseguiu cumprir? Será que **as metas que tem estabelecido podem de fato ser alcançadas?** E se, em vez de o direcionar e motivar, suas metas estiverem sabotando-o?

Para exemplificar o que estou querendo dizer, vou citar uma situação que aconteceu comigo. **Eu estava sentindo falta de leitura na minha rotina.** Cresci com um pai escritor, então desde muito nova sempre fui **estimulada a ler.** Para que pudesse resolver essa falta de leitura, estabeleci a mim mesma ler um livro por mês. Porém, a nossa vida é tão corrida, né? Às vezes não sobra muito tempo livre, e não consegui cumprir o que havia me prometido. **A minha própria meta estava me sabotando.** Resolvi, então, agir de modo diferente. No mês seguinte **me desafiei a fazer algo que ainda não tinha tentado**, e estabeleci que iria ler de quinze a vinte minutos diariamente, sem o compromisso de acabar uma obra em um tempo predeterminado. Quando me dei conta, havia concluído o livro em menos de dez dias sem nem perceber.

"Para que uma meta aconteça, é preciso gerar compromisso."

Para alcançar uma meta, você precisa de comprometimento. Quanto mais objetivas, precisas e estruturadas forem as metas, mais tangíveis se tornam. **Elas não podem ser vagas**, como "quero um carro"; é preciso estruturar a ideia para que se torne realizável. O que você precisa fazer, dentro da sua realidade, para atingir aquele objetivo? **Questione-se e trace um plano.** Mas, antes disso, **vamos entender o que não são metas: desejos e tarefas.** As metas precisam ser devidamente especificadas. Por exemplo, se você quer comprar o carro só por comprar e ele não faz parte de um objetivo maior, ou seja, **se não o levará na direção daquilo que você deseja realizar, então ele não é uma meta; é apenas um desejo.**

Gerar compromisso é ter data e hora para executar uma atividade. Se você quer mesmo cumprir algo, reserve um tempo na agenda para isso. Registre no seu calendário uma data e hora para executar a tarefa, e assim estará **gerando compromisso**. Planeje-se para viver a vida que você tanto quer. Planeje a sua vida, a sua rotina e cada dia. Lembre-se: **a rotina precisa estar alinhada com os objetivos.** Se isso não acontece, o caminho vai se tornando cada vez mais difícil e distante.

"Pessoas com metas tangíveis triunfam porque sabem exatamente aonde querem chegar."

EARL NIGHTINGALE (ADAPTADO)

Digamos que tenha comprado um curso relacionado à área de que você gosta, está superanimado para concluí-lo e a sua meta seja terminar todo o conteúdo em trinta dias, **mas no meio do caminho aconteceram coisas fora do seu controle**, que o impossibilitaram de frequentar alguns dias de aula. Ao não bater a meta no tempo em que se propôs, sente que todo o seu esforço até ali foi em vão, e consequentemente se sente frustrado. Quase sempre, **quando isso acontece, somos levados a desistir.**

Ao determinarmos uma meta menor e mais tangível, as coisas se tornam mais fáceis, por exemplo, terminar um capítulo do curso por semana. Mesmo sabendo que temos tempo de sobra para fazer mais do que estipulamos, ao alcançarmos nossa meta simples, acabaremos nos sentindo mais eficazes e estimulados para aumentar essa média de forma gradativa até concluirmos o curso. **Com metas tangíveis, você será capaz de aprender tudo a que se propuser, de forma organizada, gradual e com uma dose extra de incentivo ao atingir cada etapa.** Não crie o estresse que você quer viver de maneira inconsciente. Evite criar metas impossíveis de alcançar, complexas de realizar; facilite a realização delas.

"Planejar
é decidir
antecipadamente
qual é e como
será a vitória."

22. VOCÊ VAI ERRAR MAIS DO QUE ACERTAR, APRENDA A TRANSFORMAR OS ERROS EM LIÇÕES

Sabemos que Pelé fez mais de mil gols. Mas ninguém fala quantos chutes o atleta errou até acertar esses mil gols. Aqui é necessário entender que cada gol perdido gerava um aprendizado para ele, que aprimorava suas habilidades aumentando mais ainda as chances de sucesso. Nesse caso, tente perceber como você enxerga esses erros, como impactam na sua vida e o que aprende com eles. **Ninguém gosta de errar, e a maioria das pessoas não sabe como lidar com isso da melhor forma.** E os seus erros? Você os transforma em lição ou continua insistindo neles?

Em alguns casos você vai tentar acertar, e por algum motivo as coisas sairão do controle e você acabará errando. É nessas horas que para, faz uma autocrítica e entende **o que** poderia ter feito melhor durante o processo. Os erros nunca são gratuitos; eles sempre se tornam **aprendizado rico em sucesso**. Em nossos erros estão todas as informações que podem nos levar aos acertos.

> # "Às vezes você vai errar, às vezes você vai acertar, mas sempre você vai aprender."
>
> **JEAN SOUZA**

Durante muito tempo errei e continuei insistindo no mesmo erro. Sempre culpava outras pessoas ou situações que estavam fora do meu controle **pelos meus resultados negativos.** Quando eu ainda era criança, me disseram que o motivo das respostas negativas tão frequentes dos testes que eu estava fazendo era a minha dicção, pois às vezes parecia que eu falava de modo meio enrolado. **Eu pensava que isso era uma desculpa qualquer** para reprovar candidatos em testes sem os magoar. Ao perceber que de fato a minha dicção não era boa, procurei ajuda de uma fonoaudióloga, que confirmou que eu tinha um problema. Fiz diversas sessões de tratamento, as quais mantenho até hoje. Essa foi a primeira vez que percebi que **qualquer erro ou falha poderia me trazer um grande aprendizado e até um movimento de vida.** Isso sempre esteve na minha frente e mesmo assim eu não conseguia enxergar. Precisei errar muito para resolver o problema, até que acabei aprimorando a qualidade do meu trabalho. **Um grande erro me trouxe um grande acerto.**

A partir daí, em vez de ter medo de errar, passei a sentir mais vontade de tentar, de me arriscar. Afinal, quanto mais cedo eu errasse, mais cedo aprenderia como não recair no mesmo erro, ou como **resolver o problema antes que virasse uma bola de neve.** A gente não precisa ter medo de errar; **viver é praticamente cometer uma sucessão de erros dia após dia,** e vai depender de você transformá-los ou não em evolução.

"Dificuldades preparam pessoas comuns para destinos extraordinários."

C. S. LEWIS

Agora o título do livro faz sentido para você, não é mesmo? **Antes feito do que perfeito** se tornou o lema da minha vida. Acredito que basta começar, pois, **quanto antes você errar, mais cedo vai aprender o caminho para acertar.** O primeiro passo é listar os maiores erros que cometeu no passado e tentar enxergar a situação de fora: **de que forma poderia ter agido para que o resultado fosse diferente?** A ideia é sempre buscar evoluir descobrindo as próprias fraquezas e transformando-as em habilidades, **o que torna possível separar o erro da decepção** e ressignificá-lo para aprendizados.

Os seus problemas alcançam o tamanho que você dá a eles, então não deixe que se tornem barreiras ou que o impeçam de alcançar tudo aquilo que sempre buscou. **Um erro é só um aprendizado, e, caso se torne um problema, basta resolvê-lo e ressignificá-lo.** Uma das maiores habilidades da nossa vida está na ressignificação. É você olhar para trás e entender que aconteceu o que tinha que acontecer, e que você pode ficar com a parte boa daquilo. É interpretar uma situação de um ângulo mais positivo.

"Não tenha medo de cometer erros. Tenha medo de não aprender com eles."

PETER JONES

23. SEJA RESPONSÁVEL PELO SEU DESTINO

Estou batendo nessa tecla desde o início do livro, porque ela é a chave mais importante para você virar. Quando as coisas não dão certo pra gente, tendemos a culpar Deus, a espiritualidade, o outro, menos nós mesmos. **Entender que a vida não dá tão certo quanto você gostaria, porque não está fazendo as coisas acontecerem**, é o primeiro passo para fazer dar certo. Entender que você é o único responsável pelo desenrolar do seu destino lhe traz imediatamente a autorresponsabilidade.

Em mais um dia de agenda lotada, eu precisava acordar cedo, mas não consegui, pois dormira mais tarde do que o previsto. Meu celular não despertou; esqueci de colocá-lo pra carregar na noite anterior. No meio de um trânsito absurdo por causa do horário errado em que saí, perdi algumas reuniões programadas e, no final, me dei conta da improdutividade do meu dia. **Culpei tudo o que estava ao meu redor:** o celular, o trânsito, minha equipe que não me ligou na tentativa de me acordar e até o porteiro que me parou para entregar as correspondências. E sinceramente, **ninguém tinha nada a ver com os meus problemas**.

Seria ingênuo falar que eu não tinha consciência do que estava acontecendo ao meu redor. Porém, não conseguia perceber que o único motivo de tudo aquilo foi o fato de não **me responsabilizar pelos meus atos**. Eu sabia que deveria ter colocado o celular para carregar na noite anterior; a culpa foi minha e de mais ninguém. Se não tivesse esquecido, despertaria sem problemas e tantos transtornos não teriam acontecido. **Uma atitude equivocada nos faz viver várias situações desconfortáveis.**

"Autorresponsabilidade é a plena convicção de que você é o único responsável pela vida que tem hoje, consequentemente o único responsável por mudá-la."

PAULO VIEIRA

Comecei a perceber que **eu sempre culpava as pessoas ao meu redor**; no trabalho, na família ou no círculo de amigos, **a minha dificuldade em admitir erros sempre foi um dos meus pontos fracos**. E em algum momento da vida, os nossos pontos fracos precisam se transformar nos pontos fortes. **A tão importante habilidade de assumir a própria culpa é chamada de autorresponsabilidade.** As pessoas responsáveis pelas próprias jornadas são as mais bem-sucedidas. **Elas mesmas desenvolvem e assumem a responsabilidade pelo sucesso e pelo destino que constroem.**

Seja seu próprio treinador e trabalhe duro para desenvolver a **capacidade de se responsabilizar por tudo aquilo que lhe acontece**. Quando comecei a me tornar mais responsável, senti que estava abandonando cada vez mais o lugar de vítima e assumindo o **papel de observadora que aprendia com tudo que me impactava**. A vida se torna mais leve, e a jornada, menos rancorosa. Em vez de chorar pelos problemas, eu passava o tempo me questionando e buscando entender em que aspectos havia errado, onde o outro errou, como eu poderia fazer para não repetir o erro, e **durante esse processo o amadurecimento acontece.**

"Assuma responsabilidades enquanto outros inventam justificativas."

JOHN MAXWELL (ADAPTADO)

Todos já nos sentimos paralisados na vida, perdidos e sem saber o rumo das coisas e o lugar onde iremos parar, não é? Simplesmente vamos envelhecendo, os anos vão passando e a cada dia **nos questionamos como será o futuro.** Será que terei uma casa? Vou conseguir comprar um imóvel? Terei dinheiro para pagar uma escola legal para meus filhos? E aquele carro que desejamos a vida inteira? Só que nos esquecemos de que **o futuro não acontece sozinho.** Se você não responder a todas essas perguntas com atitudes e ações, **não fará o seu futuro se desenrolar e acontecer.**

Todo indivíduo tem o direito de decidir o próprio destino. Cabe a você decidir como serão os próximos passos depois deste livro; vai planejar e buscar a vitória ou **aceitar que está simplesmente existindo?**

Nesta leitura, você viu – e ainda verá mais de uma vez – o assunto **planejamento**. Vou pegar no seu pé com essa palavra porque **nada vai cair do céu para você**; esteja preparado para tal verdade. E **quanto mais cedo entender isso, mais cedo se tornará responsável pelo seu destino.** E eu gostaria de lhe lembrar alguns pontos importantes:

Você é capaz de qualquer coisa. Basta querer!

Seja resiliente. Não desista na primeira nem na milésima tentativa; prepare-se mais, aprenda e desenvolva-se para enfrentar grandes desafios.

Ninguém vai acordar e viver por você, portanto faça acontecer todos os dias sem esperar que alguém apareça para ajudá-lo.

Desejar é melhor do que querer; fale menos e faça mais.

O planejamento é seu melhor amigo; escreva isso em um papel e cole na porta do seu quarto para que se lembre todos os dias.

"O que define o seu destino não são suas condições, e sim suas decisões."

TONY ROBBINS, ADAPTADO

24. CONVIVA COM PESSOAS QUE TE INSPIRAM

Todos nós já fomos crianças um dia. Talvez você não se lembre, mas **aprendia as coisas antes mesmo de saber falar ou interpretar o que lhe diziam**. Os aprendizados na infância aconteceram por meio da observação, do impulso e da repetição. **Aprende-se apenas observando outras pessoas e convivendo com elas.** Quando a gente para pra pensar no nosso círculo social e olha para as pessoas do nosso convívio, quantas delas **nos inspiram, motivam ou nos agregam conhecimento que gere valor** na conquista de nossos objetivos?

Você com certeza já deve ter ouvido pelo menos uma vez na vida a frase **"Diga-me com quem andas que te direi quem tu és"**. E muitas pessoas já comprovaram que de fato existe essa **teoria social**, que **também se aplica ao mundo virtual**. Sabendo disso, você já entendeu a importância de estar cercado de pessoas boas e inspiradoras, né? Existem várias células-espelho em nosso cérebro que imitam, reproduzem comportamentos, expressões linguísticas, e é cientificamente comprovado que nós nos tornamos um pouco do outro, e este, um pouco da gente. Ainda mais nos dias atuais, que vivemos num mundo mais conectado e globalizado do que nunca.

"Você é a média das cinco pessoas com quem mais convive."

JIM ROHN

Perceba que o seu **círculo de amizades** é o lugar onde você compartilha mais informações, recebe insights e dialoga sobre novas ideias. São as pessoas com as quais você mais se comunica ou **mais escuta que geralmente validam as decisões que você toma e o aconselham.** Por exemplo, se um amigo saltou de paraquedas e lhe contou de forma segura como foi a experiência, por você já confiar nele, acaba validando a experiência e se sente mais seguro para saltar, caso tenha uma oportunidade. **A gente acaba se inspirando, mesmo que inconscientemente, em quem está por perto,** dividindo suas histórias e lutas conosco. Da mesma forma, **quando convivemos com pessoas que não buscam evolução, nos mantemos estagnados como elas.**

Você pode conviver e ser amigo de quem quiser, mas, para estreitar a convivência, o ideal é que se foque em pessoas e familiares que o inspiram. **Desde criança, sempre fui muito inspirada pelos meus pais.** A minha mãe me trouxe a conexão com a espiritualidade, e meu pai, com a intelectualidade. Ambos são as minhas maiores inspirações, e tenho a sorte de conviver muito de perto com eles; mesmo morando sozinha em São Paulo, sempre me programo para estar na companhia dos dois todo mês. **Quanto mais convivo com eles, mais ambos me inspiram a evoluir e me tornar uma pessoa melhor.** A minha avó sempre me disse que escolhesse para meu círculo social **pessoas melhores do que eu mesma,** mais maduras, pois assim é muito mais fácil evoluir **do que conviver com pessoas piores e que vão nos levar para baixo.**

"Você inspira pessoas que fingem não te ver, acredite."

Tive a sorte de conviver com muitas pessoas inspiradoras, que **me abriram a mente para ser capaz de enxergar o mundo de uma forma sempre mais positiva.** Ninguém cruza nosso caminho por acaso, e por isso somos responsáveis por **absorver o melhor de cada um dos relacionamentos** da nossa vida. Talvez seja hora de entender que amizades, relacionamentos, empregos não são eternos, e que o desequilíbrio em qualquer um desses ciclos pode comprometer todos os outros.

A ideia não é cortar relações ou causar qualquer tipo de inimizade, mas entender que **passamos a maior parte do nosso tempo com quem escolhemos,** então talvez seja hora de escolher melhor. Sabendo o **impacto que a convivência tem no desempenho e resultado,** será que sua vida não seria muito mais produtiva e inspiradora se você estivesse cercado de pessoas que o instiguem a evoluir diariamente e a manter o foco?

E caso você precise encontrar novos amigos que pensam dessa mesma forma, **a internet é uma ferramenta** de conexão maravilhosa, que nos permite conviver com grupos que têm os mesmos interesses ou trabalham com as mesmas coisas que nós. A internet oferece um mundo de possibilidades, permitindo-nos encontrar mentores ou **pessoas dispostas a compartilhar e adquirir conhecimento.** Ao conviver com indivíduos com **mais conhecimentos que você,** acabará sentindo-se inspirado por alguém que já conseguiu chegar aonde você deseja. **Escolha** não só o que vai aprender, mas também o professor que vai ensiná-lo, criando com ele um vínculo que ultrapasse uma relação de mentor e se torne uma relação de amizade, colaboração, oportunidade e uma infinidade de conhecimento. Pode ser um amigo, um parente, um namorado, um mentor, um coach ou até uma pessoa que não conhece muito, mas com a qual gosta de conviver e nela se inspirar. **Mantenha por perto pessoas que falariam o seu nome em uma sala repleta de oportunidades** e o querem melhor que elas.

"Foco nas pessoas que te inspiram. E não nas que te irritam!"

25. GERE VALOR PARA AS OUTRAS PESSOAS

Pense nas atividades que você faz no trabalho ou nas que pretende fazer para viver; **elas impactam diretamente a vida de outras pessoas?** As atitudes que você toma as ajudam a realizar ou a conquistar algo? Se a sua resposta for positiva, saiba que **você gera valor para essas pessoas de alguma forma.** Agora, se a sua resposta for negativa, talvez seja hora de mudar. Afinal, **se você não está fazendo a vida de alguém melhor, então está perdendo tempo.**

A pandemia me fez refletir profundamente sobre o meu papel como criadora de conteúdo digital. De alguma forma eu sentia que poderia fazer muito mais pelas pessoas que me acompanham do que somente mostrar a minha vida e rotina. Resolvi estudar e **amadurecer o meu material com o objetivo de gerar valor** para os outros. Desenvolvi a Semana do Despertar no meu Instagram. Foram 21 lives em 7 dias. Com vários convidados incríveis, durante as lives a gente estimulava o diálogo sobre vários temas relevantes, como política, espiritualidade, direito, história e vários outros. Lembro a quantidade de mensagens que recebi na época de pessoas que estavam acompanhando e **consumindo o conteúdo.** Às vezes, não postamos mais conteúdos na rede social porque achamos que ninguém quer ver, mas na verdade **do outro lado da tela existe sempre alguém querendo consumir o que você tem para falar.**

Seguindo essa linha de raciocínio, desenvolvi o projeto de série **"De cara limpa".** Ao longo de cinco episódios, expus as piores histórias que já vivi, como golpe de estelionato, relacionamento abusivo, traições e várias situações que demonstram que **até quem parece ter uma vida maravilhosa na internet só parece mesmo.** Porque, ainda que todo mundo passe por dificuldades e altos e baixos, às vezes as pessoas, esquecendo que todos somos humanos, endeusam a vida de alguns. Lancei esse projeto no meu Instagram, ainda focada em causar algum impacto positivo na vida do meu público, ou de quem quer que fosse consumir, e mostrar que, independentemente de status ou dinheiro, todos passamos por problemas e fases mais complicadas. **Gerar valor nada mais é do que compartilhar conhecimento, auxiliar e direcionar as pessoas a ponto de afetá-las de maneira construtiva para que carreguem esse ensinamento com elas.**

"Não tentes ser bem-sucedido, tenta antes ser um homem de valor."

ALBERT EINSTEIN

É muito difícil vender um produto que você mesmo não compraria ou trabalhar em alguma empresa que vai **contra todos os seus princípios**. Isso acontece em razão dos nossos valores; nós, humanos, **criamos vínculos com aquilo que entendemos nos gerar valor ou que está atrelado aos nossos valores**. Tente transformar a prática da geração de valor num hábito de vida. **Quando você compartilha conhecimento,** quando se dispõe a auxiliar a quem necessita, quando desenvolve soluções na sua área profissional ou ao menos se propõe a ouvir e aconselhar alguém que esteja precisando da sua atenção, **automaticamente já está agregando valor na vida do próximo.**

Procure trabalhar em funções ou desenvolver produtos que partam deste mesmo princípio: gerar valor na vida do próximo. Além do **propósito agregado** à sua vida, em razão de não trabalhar apenas por dinheiro, você ainda assume **o objetivo de transformar positivamente o mundo a sua volta**. Como seria o mundo onde a gente vive se todos se comprometessem a gerar valor na vida de algumas daquelas pessoas que cruzassem nosso caminho? **Provavelmente não haveria tanta desigualdade**, violência, caos, entre tantos outros problemas com os quais convivemos diariamente.

"Se você não está tornando a vida de alguém melhor, você está perdendo seu tempo."

WILL SMITH

Você pode simplesmente decidir não agregar nada na vida de ninguém. **O direito de escolha é sempre seu, e sempre está em suas mãos.** A responsabilidade pelo seu destino, pelas suas escolhas, e a responsabilidade de agregar ou não na vida do próximo é apenas sua. E você pode a qualquer momento decidir mudar as suas estratégias, as suas escolhas e o seu planejamento de vida. **Assumir um propósito é trabalhar por alguma razão**, não somente trabalhar por trabalhar. Algumas pessoas têm como principal objetivo trabalhar para agregar na vida do próximo. Dessa forma, agregam valor à própria carreira também e criam um impacto positivo.

Não é a todo momento nem todos os dias que você vai agregar algo à vida de alguém. No entanto, se isso ocorrer em alguns instantes ao longo da sua jornada, já fará uma grande diferença no mundo. Manter o equilíbrio é tudo na vida. Nem de mais nem de menos. Embora não precise ser uma tarefa diária, **o ideal é que vire um hábito**, porque aí você vai agir de maneira orgânica e, quando menos se der conta, **as pessoas estarão comentando com você sobre a diferença que faz nas vidas delas**. :)

"Não fique no meio do caminho. Já tem um monte de gente lá."

26. EXERCITE O SEU CÉREBRO, LEIA PARA EXPANDIR A CONSCIÊNCIA

É comum ouvirmos em uma conversa entre amigos que um tem **problema de foco, outro de concentração, outro de memória, ou até mesmo todos esses problemas ao mesmo tempo**. Perdi a conta de quantas vezes tive esse tipo de problema também. Com a rotina corrida de todo mundo, fica difícil pensar em como **exercitar** uma dessas três habilidades. **E se eu lhe provar que você pode fazer tudo isso de uma só vez?**

Esse é o poder da leitura, que exercita o cérebro, estimulando e desenvolvendo capacidades, enquanto se adquire conhecimento que foi filtrado, organizado e estruturado por ele, para que o conteúdo seja absorvido da melhor forma e ainda registrado pela memória. **Dá para perceber claramente a diferença da pessoa com o hábito de leitura** no jeito que ela se comunica, escreve, expõe seu conhecimento ou conversa com alguém sobre os mais diversos assuntos. **Argumentos convincentes, vocabulário rico, raciocínio dinâmico e uma série de outras habilidades a caracterizam, e você consegue identificá-las,** o que normalmente não se encontra em pessoas que não desenvolveram o hábito de ler. **A leitura é para o intelecto o que o exercício é para o corpo.**

"Viver sem ler é perigoso porque te obriga a acreditar no que te dizem."

AUTOR DESCONHECIDO

Sou filha de um homem que me inspirou muito a ler desde criança e a escrever este livro também. Meu pai já escreveu mais de vinte livros, e exerce a profissão de professor de Direito há mais de 25 anos, além de ter assumido várias outras funções por meio de múltiplas carreiras.

Lembro-me de ser criança e ganhar muitos livros de presente. Quando me tornei adolescente e a gente saía para dar uma volta no shopping, ele sempre me levava às livrarias e me deixava escolher dois ou três livros. Assim, **a leitura foi se tornando uma paixão.** Com vinte e poucos anos, passei a morar sozinha e montei a minha própria biblioteca. **Eu gastava mais dinheiro com livros do que com roupas.** Comprava livros sobre atuação, sobre como conquistar pessoas, como enriquecer, como empreender, e ainda sobre carreira de modelo; lia histórias de sucesso, uma infinidade de assuntos. **Reconheço o poder da leitura na minha vida.** Agora, por exemplo, só fui capaz de escrever este livro por já ter lido muito ao longo da jornada, desde a infância, e absorvido o máximo de conhecimentos aplicados à minha vida. Isso me deu noção de construção de capítulo, diagramação, organização de ideias e seleção de assuntos. E mais, é fantástico todo o mundo de conhecimentos que cada livro nos proporciona. **A maioria das coisas que aprendi, com toda certeza, aprendi lendo.**

A leitura é um universo dentro do qual existem vários mundos. Não podemos negar que a leitura nos faz mais inteligentes, mais completos e mais preenchidos. **E a gente só é capaz de falar do que nos preenche por dentro.** A leitura nos preenche de conteúdo, conhecimentos e de vários novos mundos, **além de expandir a nossa consciência.** Dessa forma, dedicando-se à leitura, você conseguirá conversar sobre mais assuntos e terá mais para compartilhar com outras pessoas, por meio das redes sociais, por exemplo. Hoje os acessos ao conhecimento são democratizados, você pode ler artigos, matérias, estudos, reportagens, entrevistas, tudo está no Google gratuitamente. Não precisa focar-se em livros, caso não goste. É **por meio da leitura que você se informa e checa a verdade dos eventos.** Caso contrário, só vai conhecer a verdade do outro e **o mundo por intermédio do que o outro contar.**

"A leitura engrandece a alma."

VOLTAIRE

Deixe de lado todos os pensamentos limitantes que o impedem de se jogar nessa prática, coisas do tipo "**Eu não gosto de ler**", ou "**Demoro muito para terminar**", e comece a ler antes mesmo de tirar conclusões. **Sempre escolha livros que estejam relacionados com algo que lhe interesse** ou faça parte do seu cotidiano, da sua carreira profissional... Dê preferência a livros cuja linguagem seja mais simples e a apresentação do conteúdo a mais didática possível, com fotos, frases, ilustrações e insights, por exemplo. Dessa forma, você vai se animar por estar lendo mais sobre aquilo de que já gosta, e, **além de aprender algo novo, exercitará o cérebro e estimulará as habilidades que já tem.**

Lembra-se da sua programação sobre **gerenciamento do próprio tempo?** Caso você queira desenvolver o hábito da leitura, **comece com quinze minutos diários** antes de dormir, e gradualmente tente aumentar esse tempo até chegar ao que considera necessário ler por dia. **Com a prática diária de trinta minutos de leitura, por exemplo, você estará treinando seu cérebro, exercitando sua memória, sua criatividade, seu foco e sua concentração de uma só vez**, além, é claro, do conhecimento que irá adquirindo durante a leitura e da redução dos níveis de estresse. **Observe a sua volta e constate que a maioria das pessoas em quem você se inspira e as mais bem-sucedidas leem vários livros ao ano.**

"Não existe conhecimento sem uma boa bagagem de leitura."

27. FALE MENOS E FAÇA MAIS

Pense em todas as vezes que você teve a ideia de iniciar algum projeto ou negócio. Quantos deles compartilhou com outras pessoas antes mesmo de tê-los começado, assinado o contrato, **e realmente deram certo ou foram pra frente?**

Quando contamos a alguém alguma coisa que pretendemos fazer, **criamos inconscientemente uma obrigação interna de comprovar para aquela pessoa que tudo está** mesmo **acontecendo,** e assim acabamos gerando uma cobrança pessoal, afinal, afirmamos que iríamos fazer tal coisa. Isso desencadeia uma **pressão desnecessária, que, em vez de nos ajudar, pode prejudicar** o nosso caminho. Eu mesma compartilho os meus planos **somente com as pessoas que de alguma forma irão fazer parte deles.** As pessoas que não vislumbrarem as mesmas oportunidades que nós, que não tiverem a mesma visão, vão nos desencorajar, muitas vezes nos levar a desistir, ou então poderão até nos **invejar e transmitir energia negativa** ao nosso projeto, o que com certeza não vai nos incentivar.

Já estamos quase finalizando o livro e se você ainda não colocou nenhum desses insights em prática? Ah, então existe um problema aqui: **você fala mais do que faz**, o que pode comprometer a realização de todas as suas metas.

Vamos entender a importância da ação em nossa vida. A palavra **ação**, conforme o dicionário, significa **evidência de uma força e disposição para agir**. Ou seja, o ser humano com o hábito de agir naturalmente já é **um ser cuja personalidade demonstra força e disposição**. Enquanto você estiver agindo, estará movimentando sua vida. E anote esta dica importante: **quem age no silêncio chega mais longe**. Não comente seus planos antes de colocá-los em prática. Deixe que a sua atitude fale por si só enquanto estiver vivendo a realização da sua ideia.

"Aja antes de falar e, portanto, fale de acordo com os seus atos."

CONFÚCIO

Uma das tristes verdades que descobri ao longo da minha jornada é que as pessoas realmente desejam e fazem o mal para outras por conta de inveja. É a realidade. Sabendo disso, **qual a necessidade de compartilhar planos e ideias?** A não ser que sejam pessoas que querem de verdade vê-lo crescer, **evite contar seus planos.** E principalmente se ainda não o executou, porque, como ele ainda estará em aberto e em processo de conclusão, **qualquer energia negativa ou adversidade poderão prejudicar o seu caminho.** Então, como agir? Comece a analisar as suas atitudes e perceba com quem você acaba comentando um pouco a mais, e quando vier aquela vontade de conversar com alguém, ligue para os seus pais, familiares, pessoas que o amam. **Aprenda a controlar o mal que muitas vezes você mesmo permite que entre na sua vida.**

Podemos escolher ou ser a pessoa que fala muito, mas pouco faz, ou **a pessoa que deixa as próprias conquistas falarem por elas.** Quando a gente vivencia primeiro, e fala sobre só depois, além de tudo acontecer de uma maneira mais leve, na hora de compartilhar será muito mais real, muito mais de acordo com os nossos fatos. E **quando falamos pouco e agimos muito, nossa vida ganha mais movimento e menos energia negativa.** Mantenha o seu planejamento de vida sempre ativo, o que vai fazer com que toda hora a sua realidade mude, e tudo seja fruto da sua atitude e de suas ações.

"É fazendo que se aprende a fazer aquilo que se deve aprender a fazer."

ARISTÓTELES

Não existe uma fórmula mágica ou um exercício secreto; **falar menos e fazer mais vai lhe mostrar um resultado final positivo.** Então, da próxima vez que for tirar um plano do papel, enquanto ele só for uma ideia, conte-o apenas a quem vai ajudar você a realizá-lo. Deixe que os resultados falem por si; nada mais precisará ser dito. As pessoas passarão a escutar, apoiar e admirar você, ainda sem entender muito o que fez, **pois o ser humano associa o sucesso ao resultado e não à evolução conquistada no processo.** E na realidade, a gente aprende ao longo de todo o processo; a gente aprende fazendo. **Ou faz, ou não aprende nem evolui.** :)

"Se quiser mesmo fazer alguma coisa, aja, não anuncie."

28. SEJA RESILIENTE E PERSISTENTE

Olhe para pessoas que você considera terem alcançado o sucesso ou que de alguma forma o inspiram. Você tem noção de quantas vezes **foram rejeitadas, erraram ou fracassaram** em suas jornadas para conseguir conquistar tudo que têm? A grande diferença dessas pessoas para as outras é uma só: **elas não se desesperam ou desistem diante da primeira barreira**. Na verdade, encontram soluções para resolver os próprios problemas, e isso as torna mais bem preparadas para resolver os próximos. **E você ainda acha ser possível conquistar o sucesso sem nenhum fracasso?**

Comecei a plantar as sementes de minha carreira com apenas oito anos de idade. Muitas pessoas consideraram cedo demais, inclusive meus pais. Mas eu sabia que queria chegar muito longe, e **quanto mais cedo começasse, melhor seria**. Com poucos recursos e muito menos contatos, os caminhos me levaram a **rotas mais difíceis e desafiadoras**. E por ser nova e inexperiente, ouvi muitos "nãos". Algumas vezes ouvia um "você quase passou", que soava pior do que ouvir um "não". Já comentei antes que fui muito mais rejeitada do que aceita na minha profissão, mas mesmo assim segui. **Se tivesse desistido, nem estaria aqui para contar esta história.** Não foi nem um pouco fácil e não teria graça se fosse. Eu me apeguei aos desafios e me viciei em conquistar as minhas próprias vitórias. **Percebi ao longo do caminho que, por trás de uma grande vitória, existem muitos fracassos e derrotas**; as pessoas só não falam sobre isso. :)

"Para dar certo é preciso ter a resiliência de suportar todas as vezes que der errado."

Na verdade, precisamos de desordem e caos para nossa sobrevivência, evolução e desenvolvimento. Superar não é escolha; é necessidade. **Ser resiliente significa se manter são mesmo que se esteja em um ambiente totalmente insano.** Um dos mais belos ensinamentos do budismo é: **O caos está lá fora, mas você não pode deixá-lo entrar.** Nisso está a sua responsabilidade em relação ao seu aspecto emocional, para que cada adversidade no meio do caminho se torne uma nova forma de **crescer e se fortalecer emocionalmente** por meio do aprendizado que a situação irá gerar.

"Resiliência é nossa força interior que se manifesta quando grandes obstáculos aparecem no nosso caminho." É muito difícil nos tornarmos resilientes da noite para o dia, até porque é necessária a ocorrência de **alguns tropeços para que possamos praticar essa habilidade e desenvolvê-la de forma consistente.**

Porém, devemos partir do princípio de que todos passamos por decepções que comprometem a paz do nosso pensamento; parece que alugam um triplex na nossa cabeça ou interferem no clima do nosso dia em geral. Se, de fato, você deseja alcançar algo na vida, é preciso se levantar depois de cada uma **das dificuldades** que forem aparecendo e seguir trabalhando, acreditando, adaptando-se e evoluindo. Só descobre o quanto poderia vencer na vida quem persiste. Quem desiste jamais descobrirá até onde poderia ter chegado. Problemas todos temos, mas não podemos nos paralisar diante de cada um. **A partir de hoje, você deixará de pensar no problema e passará a se focar somente na solução dele.**

"No fim, na vida não importa quantas vezes você caiu, mas sim quantas vezes foi capaz de se levantar."

Ao conquistar a resiliência, a realização de qualquer **objetivo se torna questão de foco e tempo**, pois você sabe que vai enfrentar dificuldades em qualquer jornada e **está preparado para elas**. Gosto de definir a resiliência em uma frase baseada num provérbio chinês: **Esteja sempre preparado para o pior, esperando o melhor.** Não é questão de ser negativo; é questão de ser realista quanto às situações comuns na vida de todo mundo, e com certeza também na nossa. **As barreiras no passado se transformarão em trampolins.** A resiliência nos ajuda a nos posicionarmos diante dos desafios de maneira positiva, o que é essencial para tornar nossa jornada de sucesso ainda mais leve. **Esteja pronto, preparado e faça sua parte. O resto é com o universo. :)**

"Nem todas as tempestades vêm para atrapalhar a sua vida. Algumas vêm para limpar o seu caminho."

AUTOR DESCONHECIDO

29. COMPREENDA PARA SER COMPREENDIDO

Sabe aquelas pessoas que não deixam você falar por vinte segundos e logo o interrompem? Que não aceitam opiniões diferentes das delas? Ou que já querem opinar sem nem saber direito o que está acontecendo? Então, eu já fui uma pessoa assim. E também conheci muitas com esse mesmo comportamento. **Isso acontece porque a gente quer mais falar do que ouvir.**

Desde muito cedo aprendemos a falar, a escrever e a nos expressar, **mas não somos treinados para escutar.** A arte de ouvir e entender faz parte de nossas obrigações no universo social, e deve ser exercitada. **Mais importante do que saber falar é saber dar a devida atenção ao que nos falam.** Uma coisa é você escutar sem dar atenção; outra é ouvir, termo usado para se referir à escuta ativa, ou seja, **ouvir de verdade é escutar com atenção.** Você já deve conhecer o provérbio oriental: "Deus deu ao homem dois ouvidos, dois olhos e uma boca, para vermos e ouvirmos duas vezes mais do que falamos". E não é à toa. Às vezes queremos ser compreendidos, mas nem mesmo nos esforçamos para compreender o próximo. **Se as** pessoas com quem mais convivemos nos inspiram, então ouvi-las com atenção é somar aprendizados.

"Não culpe o outro pela sua própria falta de compreensão."

Ouça o próximo com atenção e carinho; acolha sem apontar o dedo ou mesmo julgar. Coloque-se na situação da pessoa que está compartilhando algo importante com você, e quando for responder, use palavras gentis e fale com calma. **Muitas vezes não temos noção do impacto das nossas palavras.** Lembre-se sempre de que você e seus amigos até podem ser parecidos, mas ninguém vive as mesmas realidades; temos casas diferentes, fomos criados por famílias diferentes, e temos nossos tempos pessoais de aprendizado e amadurecimento. **Respeite o momento do próximo porque, no dia seguinte, pode ser você que talvez precise de atenção. :)**

Você só é capaz de entender uma situação se tem conhecimento das partes nela envolvidas. **Sem esse conhecimento real, é impossível que compreenda o que aconteceu.** Por isso, nos tribunais e nas delegacias, os depoimentos são a chave para julgar os eventuais culpados e determinar o resultado final. **Você só pode aconselhar se conhecer a situação.** Só se pode falar daquilo que se viveu, que se conhece ou que se estudou. Isso é chamado de lugar de fala. **E antes de você ocupar os seus lugares de fala, ouça muito mais do que fale.**

"Sem conhecimento não pode haver compreensão; sem compreensão não pode haver conhecimento."

TEXTO JUDAICO

Neste capítulo, vale destacar que todos nós enfrentamos grandes desafios o tempo todo, porém nos diferenciamos uns dos outros também na forma de compreender, aceitar e superar cada obstáculo. Por isso, ouvir com atenção e depois compartilhar as próprias experiências para agregar valor na vida do outro é tão importante. Em alguns casos, deixamos os nossos problemas virarem verdadeiras bolas de neve, porque não nos damos nem chance de ouvir o próximo. **Quero compartilhar com você três dicas muito importantes nos relacionamentos. :)**

- Primeira – Vamos **entender o ponto de vista das pessoas; coloquemo-nos no lugar do outro**.
- Segunda – Compartilhemos sentimentos para **criar conexões emocionais**.
- Terceira, e não menos importante – Identifiquemos a necessidade de ajuda ao próximo e **nos coloquemos à disposição**.

Compreender para ser compreendido é exatamente o lugar onde queremos estar; a empatia irá agregar muito valor na nossa vida, levando-nos a avaliar com mais propriedade as situações que necessitam de melhor entendimento e compreensão.

"Sem compreensão, tudo na vida se torna um grande desafio."

AUTOR DESCONHECIDO

30. MATURIDADE: ASSUMIR ERROS, RISCOS E PROBLEMAS

Existem muitas maneiras de classificarmos as pessoas, mas neste capítulo vamos separá-las em dois grandes grupos: as que **fazem acontecer independentemente das dificuldades**, e as que não veem as coisas acontecerem porque preferem vislumbrar dificuldades em tudo. **E você, prefere ser a pessoa que realiza ou a que nem tenta?**

Em momento nenhum pretendi fazer deste livro uma biografia, portanto, o único motivo de compartilhar algumas histórias pessoais aqui é levá-lo a **aprender com a experiência do outro**. Contei-lhe alguns episódios, o que fiz também na série **"De cara limpa"** no meu perfil no IGTV do Instagram. Ao longo da série e dos relatos dos mais relevantes problemas da minha jornada, percebi que sempre assumi muitos riscos. Alguns deram certo e me incentivaram a continuar, e outros acabaram me levando ao fracasso. Faz parte. Como diria minha mãe no seu status de WhatsApp há anos: **"Amo cada curva e desvio que a minha vida dá"**. Isso vira com frequência motivo de assunto na minha roda de amigos. Minha mãe sempre foi um ser humano incrível e resiliente, sinônimo de força para mim. Com ela e com o tempo também aprendi a amar cada uma dessas curvas, cada fracasso e cada erro que cometi. **Todos foram necessários para o meu desenvolvimento profissional e pessoal.**

Assumir os problemas, os erros e os riscos que aparecerão ao longo do caminho transformará você em uma pessoa com muito mais **maturidade**. Minha avó sempre dizia que, quanto mais a gente "levava caldo" das ondas, **mais preparada estaria na próxima vez que entrasse no mar.** E quem não está errando é porque não está vivendo. É muito mais fácil tentar, e evoluir **no caminho, do que nem sair do lugar.** Você escolhe entre **transformar os seus erros em aprendizados, e consequentemente evoluir o processo,** ou não tentar por medo de errar.

"Assuma riscos. Se você ganhar, será feliz. Se fracassar, ficará mais esperto."

Uma vez convidei uma pessoa que eu conhecia havia pouquíssimo tempo para morar comigo e meu amigo. Completamente imatura na época, nem percebi o que estava fazendo. Achava que tudo bem, que fazia a coisa certa. Pois bem: **o indivíduo simplesmente me aplicou um golpe de estelionato de 520 mil reais.** Corri um risco absurdo e fracassei como nunca fracassara na vida. Obviamente a história foi tão absurda que, quando cheguei à delegacia, ficou ainda pior, pois descobri que o sujeito tinha mais de **trinta crimes registrados na polícia** e mudara o sobrenome para morar conosco. **Olha a que ponto a minha ingenuidade e o acreditar em todo mundo me levaram.** O homem falsificou a minha assinatura emitindo dois talões de cheques, mas, graças a Deus, só deu tempo de usar um. E foi tempo suficiente para ele colocar os valores nos canhotos, que, somados, totalizaram 520 mil reais. Acabei conseguindo sustar os cheques com o boletim de ocorrência em mãos, mas todo o desespero que passei com as pessoas me ligando e querendo receber (ele ainda colocou o meu nome no cheque), **dinheiro nenhum paga.** Apesar da confusão gigantesca na época, com calma resolvi uma a uma. **E mais, transformei e ressignifiquei essa história em aprendizado, em vez de trauma.**

Hoje, diante de qualquer situação que possa envolver meu futuro, **avalio todos os cenários à minha volta, todas as chances de sucesso e de fracasso.** Gosto de estar preparada para todas as situações, porque aí não me encho de falsas expectativas e ilusões. **Viver de maneira mais realista nos permite enxergar um cenário de modo mais sincero e amplo**, assim avaliando melhor a situação. Com pé no chão tudo se torna muito mais fácil. Entramos no jogo para ganhar, mas precisamos saber que podemos perder. É **fundamental aceitar e avaliar as derrotas para evitá-las no futuro**. E com certeza você já percebeu que vai precisar tomar **decisões sábias nos momentos mais inoportunos possíveis**, portanto esteja preparado.

A vida é feita de altos e baixos, e os riscos que aceitamos correr, também. Como dizia um dos meus poetas modernos favoritos, Chorão: "**Um dia a gente perde, no outro a gente ganha**". E para complementar, **em todos a gente aprende**. E é justamente esta a razão pela qual estamos aqui: aprender todos os dias. **Ganhando ou perdendo, mas sempre aprendendo.**

"Só entendemos direito o milagre da vida quando deixamos que o inesperado aconteça. É preciso assumir riscos."

PAULO COELHO, ADAPTADA

Na vida temos duas escolhas: ficar na zona de conforto e viver no piloto automático, ou então viver em busca dos nossos maiores desejos pelo lado mais desafiador. Arriscar-se pode estar muito próximo do significado de perigo ou fracasso, mas considero que isso são apenas estereótipos determinados por pessoas que preferem viver mais próximas da segurança. **Estar na zona de conforto não tem problema algum. Só não trará resultado algum também.**

Quando aprendemos a minimizar os riscos e passamos a **escolher quais queremos assumir**, começamos não só a **enxergar oportunidades onde certas pessoas só enxergam problemas**, mas também a aprender a transformar certas dificuldades em soluções. Procure conhecer a história de vida das pessoas que o inspiram, e vai perceber que, em determinado momento, todas **elas tiveram que correr riscos para escrever o próprio nome na história e, consequentemente, construir e deixar um legado.** Não existe vitória sem muitas derrotas. **Quando a gente se dá mal momentaneamente, é para se dar bem melhor lá na frente. :)**

"Aquele que teme a pressão jamais sairá da superfície."

COMO VOCÊ ME ACOMPANHOU ATÉ AQUI, AO LONGO DE TODA ESTA JORNADA DE APRENDIZADOS, NADA MAIS JUSTO DO QUE EU O PRESENTEAR COM UM CAPÍTULO EXTRA. NÃO, NÃO ERAM APENAS TRINTA, E VOCÊ VAI ENTENDER O PORQUÊ. :)

31. ENTREGUE ALÉM DO ESPERADO E SEJA ACIMA DA MÉDIA

Você conhece alguém que faz tudo com pressa ou de qualquer jeito e depois reclama que não alcançou os resultados esperados? Ou então alguém que está há muitos anos no mesmo cargo e não consegue aumento ou evolução na carreira? Isso é bastante comum porque muitas **pessoas acreditam que basta entregar o básico.** E assim vivem uma dor de cujo sentido muitos só se dão conta ao entenderem que apenas **quem é acima da média obtém resultados além do esperado. Se você quer brilhar, se destacar, precisa entregar mais do que esperam que entregue.** Você esperou trinta capítulos, e eu lhe entreguei 31, um além do que você esperava.

:)

Nós decidimos o quanto vamos nos dedicar a cada tarefa. Mas não podemos esquecer que **os nossos resultados** serão proporcionais ao nosso investimento de tempo e atitude. Quanto mais você se dedicar, quanto mais persistir, evoluir e ir em busca da realização, mais sólida e acima da média será a realização. E assim acontecerá em tudo que se propuser a fazer ao longo da jornada. Às vezes, **você vai inventar desculpas e justificativas por não ter feito mais**, e tudo bem, mas os seus resultados também virão com desculpas e justificativas. Muitas pessoas são tão obstinadas em seus sonhos e desejos que **trabalham incansavelmente até atingir os objetivos**, independentemente do tempo que precisam disponibilizar para isso. Elas são conhecidas como **24/7** (*twenty four seven*, vinte e quatro por sete), na medida em que trabalham durante finais de semana, feriados, noites e, se precisar, madrugadas. **Importa-lhes que se mantenham sempre em movimento e que façam os seus projetos acontecerem.** Elas não trabalham as 24 horas do dia exatamente, mas **não se limitam na disponibilidade; se precisar, estarão lá, prontas**.

"Faça enquanto eles dormem."

PROVÉRBIO JAPONÊS, ADAPTADO

Se você quer se tornar acima da média, precisa enxergar a situação de forma mais ampla. Sempre existe alguma coisa que pode fazer ou algum valor que tem para agregar fora da sua área de atuação. **Propor ideias inovadoras e soluções ousadas fará com que as pessoas o enxerguem com mais propriedade.**

Para aderir a essa prática, entenda que **entregar além do esperado nem sempre se relaciona a se afundar em horas extras ou trabalhar todos os finais de semana.** Foque-se em gastar uma parte do seu tempo livre superando suas fraquezas e aprimorando suas habilidades. **Pense fora da caixa;** leve para o ambiente de trabalho ou de estudo sugestões, discussões e **novos pontos de vista** que podem otimizar e aperfeiçoar um processo interno, ou o produto final para o cliente. Lembre-se de que, sempre que você entregar acima da média, **estará se destacando,** e, assim, as pessoas **darão mais valor ao comprometimento e consequentemente ao que você sugere ou executa.**

"O sucesso é uma mistura de muito esforço e um pouco de talento."

ANGELA DUCKWORTH, ADAPTADO

Dedique uma parte do tempo que você leva para se locomover ao trabalho ou à faculdade, por exemplo, de dez a quinze minutos todos os dias, pensando em como pode entregar resultados acima da média. Anote todas as ideias que surgirem e depois coloque a mão na massa com planejamento. **Ao pensarmos dessa forma, entendemos que muitas das pessoas que nos inspiram, mesmo que não necessariamente geniais, entregam alguma coisa acima da média naquilo que se dispõem a fazer,** como projetos inovadores, ideias que transformam e inspiram, alta performance profissional. Em síntese, tornam-se empreendedoras dos seus próprios projetos de vida por meio de simples ideias que se tornam gigantes, quando realizadas. **Pessoas acima da média se dedicam além do que a média se dedica,** por isso conquistam resultados diferentes.

Ao longo de toda a sua jornada, você irá comprovar muitas das coisas que falei neste livro. A maioria delas foi relembrada porque, no fundo, no fundo mesmo, **você já sabe que, se quiser melhorar, evoluir e realizar, tem capacidade e habilidades totais para isso.** Aquelas que não tiver, com tempo e empenho serão desenvolvidas. **O destino envolve decisão.** Basicamente tudo na vida é questão de decisão. Basta você decidir, a qualquer momento, que as coisas estarão na sua mão, e simplesmente estarão mesmo. Você vai perceber que **talvez as coisas não acontecessem antes porque não se empenhava em fazer acontecer.**

"Para se destacar não seja diferente, seja excelente."

MEREDITH OCIDENTE

Eu me propus a apresentar neste livro fragmentos de todos os aprendizados que coloquei em prática na minha vida e acumulei ao longo de anos. E eles me trouxeram exatamente aqui. Para **realizar o sonho de escrever e publicar um livro que agregasse algum valor na vida das pessoas**, precisei me dedicar de verdade. Se você acha que escrever um livro é fácil, está extremamente enganado, e lhe digo que, quando falo em me dedicar, é de verdade mesmo, pois precisei sair da minha zona de conforto, estudar mais ainda sobre os temas aqui abordados, revisar o conteúdo diversas vezes, reler alguns livros e enxergar além dos cenários normais. **E precisei assumir riscos.** Este é meu primeiro livro, e isso significa muito pra mim. **Sacrifiquei compromissos** e encontros com amigos para fazer esse sonho acontecer da melhor forma possível. Escrevi durante algumas noites, feriados e finais de semana. Sempre que sobrava um tempo na minha rotina maluca, dedicava-me a mais alguns capítulos. **E estou muito feliz que você faça parte de todo esse processo. :)**

Depois de passar todo esse tempo compartilhando ideias com você, sinto-me à vontade para lhe fazer dois pedidos: **SEJA A SUA MELHOR VERSÃO!** E, como diz Caio Carneiro, autor do prefácio deste livro: **SEJA FODA!**

Busque incansavelmente ser todos os dias melhor do que ontem, e assim poder fazer a diferença na vida das pessoas, sem se esforçar para isso ou fazê-lo de maneira falsa. De nada adianta ler todo este conteúdo se você não o colocar em prática. Para que minhas palavras aqui cumpram todo o propósito que me motivou a escrever, quero que você prove não só para si, mas também para o mundo todo, o que é capaz de fazer acontecer. E a melhor forma de fazer isso é pegando aquele sonho maluco de que **você nunca teve coragem de correr atrás e finalmente o realizar**. Acho que chegou o momento, mas quem tem que me dizer isso é você em atitudes. E sempre que pensar em fazer algo, **lembre-se do seu novo lema:**

"Antes feito do que perfeito, mas nunca mal feito."

Livros para mudar o mundo. O seu mundo.

Para conhecer os nossos próximos lançamentos
e títulos disponíveis, acesse:

🌐 www.**citadel**.com.br

f /citadeleditora

📷 @**citadeleditora**

🐦 @**citadeleditora**

▶ Citadel – Grupo Editorial

Para mais informações ou dúvidas sobre a obra,
entre em contato conosco por e-mail: